不機嫌な英語たち

吉原真里

晶文社

装丁……岩瀬聡
装画……松本沙希

不機嫌な英語たち

目次

ミリョンとキョンヒ……007
The Plastic Wrapper……023
ある日、とつぜん……025
いなり寿司の発表……047
ピアノ・レッスン……061
ハイウェイの向こう側……072
こちら側の人間……092
Love, Always……109
On Not Becoming Asian American……123
レベッカの肖像画……125
ブドウと水着……147
ニューヨークのクリスマス……171

On Being Interpellated as Asian American …… 187
The Chinese Boy …… 189
カシオの腕時計 …… 208
山手線とナマチュウ …… 223
On the Matter of Eggplant …… 265
詩人のキス …… 267
Kitchen & Bath …… 288
On Becoming a Woman of Color …… 331
お向かいへのご挨拶 …… 333
父とイチロー …… 347
続 私小説 …… 360
What I Write About When I Write in English …… 379

ミリョンとキョンヒ

小学生の頃、私の日常のなかの定期的な非日常は、週に一度のピアノのレッスンだった。品川で電車を降りて、大きな横断歩道を渡り、高くそびえる品川プリンスホテルの前を通り、つばめグリルの看板を横目に、なにやら技術系の会社が入っているらしいビルの角を曲がって坂を昇っていくと、駅前の喧騒とは急に空気が変わる。坂道の右側にあるマンションは、大きさはうちのマンションと同じくらいだったが、どことなく外国風の雰囲気が漂っていたし、坂道を昇りきると、あたりにあるのは高い塀に囲まれた「お屋敷」ばかりだった。

塀の上には、尖った太い針金のようなものがたくさん並んでいる。最初にそれを見たとき、あれなあに、と母親に訊くと、「泥棒が入らないようにしてるのよ」という答えが返ってきた。なんど通っても、道を歩いている人はほとんど見かけないので、たしかに泥棒に狙われそうな気もした。

　先生の家じたいは、さして豪勢ということもなく、周辺の家と比べるとごくふつうのサイズだった。それでも、家のなかはお屋敷の外観よりもさらに、私にとっては別世界だった。遅れないように到着し、ほかの生徒のレッスンが終わるのを待っている部屋には、天井まで届く金属製の本棚が迷路のように並び、楽譜やら事典やらあれこれの本がびっしりと詰まっている。横文字の本もたくさんある。もとはキッチンとダイニングとして作られたものなのだろう、奥には流し台とコンロがあるが、そこで調理がなされる気配はまるでない。防音設計がほどこされているので、隣の部屋からは生徒の弾くピアノの音は少し漏れてくるが、先生の声も、外の音もまるで入ってこない。そんな空間で、部屋の一角に置かれた細長いテーブルの前に座り、ちょっと緊張して待っていると、自分のレッスンの番がやってくる。

　扉を開けて入るレッスン室には、大きなグランドピアノが二台並び、その後ろには立派なステレオと、何百枚ものレコードの詰まった棚がある。手前にはからし色のソファ、奥には先生の仕事机を、上から吊るされたランプが明るく照らしている。ピアノ教師であると同時に音響設計やオーディオ機器の専門家でもあり、本や記事を執筆するという先生の机の上には、いつも資料の山と原稿用紙と万年筆があった。そして部屋の左手には、見晴らしのいいサンルームがある。

この家は、先生が仕事をするための、そして私たち生徒がピアノや音楽と向き合うための、生活というものから切りはなされた空間だった。

自宅から先生の家までは電車で二駅、歩く時間を入れても二十分ほどでしかなかったが、その空間とそこまでの道のりじたいが、子供の私にはとくべつなものだった。小学校も中学年になり、母親の同伴なしでひとりでレッスンに通うようになると、私はそれだけでずいぶんおとなになった気持ちになった。

空間以上にとくべつだったのは、レッスンの時間だった。

毎回のレッスンは、メトロノームに合わせたハノンやチェルニーでのテクニック訓練からはじまる。そして次は必ずバッハ。新しい曲をはじめるときにはいつも、先生は棚から五枚のレコードを取り出し、一枚ずつプレーヤーに乗せて、私をソファに座らせ、自分も隣に座って一緒にその曲を聴いた。そうして私はリヒテル、グルダ、ブレンデル、グールド、園田高弘という名前を知り、曲の解釈や名演奏は一様でないことを学んだ。

レッスンの途中、日が暮れはじめると、先生は「お稽古もだいじだけど、もっとだいじなこともある」と言って、私をこんどはサンルームの大きな椅子に座らせ、自分もその隣に腰を下ろした。そして、五反田方面にビルが立ちならぶ雑然とした風景のずっと向こうに夕陽が沈んでいくのを、私たちはふたりでしばらく眺めた。「綺麗だったね」という先生の言葉に頷き、私たちは再びレッスンに戻り、ベートーヴェンやモーツアルトのソナタにじっくり時間をかける。そしてレッスンの最後にはいつも、先生と連弾をする。

そんなふうだったので、レッスンは毎回たっぷり二時間以上かかった。私はそれをあたりまえの「ピアノのレッスン」と思って子供時代を過ごした。

そんな贅沢な時間を私に授けてくれた先生だったが、子供の私には「おじいさん」に近い年齢でもあり、私の日常世界とはあまりにも異次元の雰囲気が漂うひとでもあって、親しみをもって気楽に話せる相手ではなかった。

そもそも、大きなマンションのとても小さな一室でひとりっ子として育った私は、内弁慶な子供だった。幼稚園の頃はとてもおとなしい子として知られていたのが、小学校にあがるとにわかに活発になり、学級委員をしたりもしたが、学校という空間のなかでクラスメートや担任の先生を相手になら元気にふるまっても、外でおとなを相手に話すのはおおいに苦手だった。

先生が私の能力を信じて、厳しい訓練をほどこしながらも可愛がってくれていることは理解も感謝もしていたものの、レッスンの時間はずっと、先生に言われることを黙って聞いて吸収するのが基本で、自分から質問したり、ピアノ以外のことを自分から積極的に話したりするようなことはまずなかった。

*

そんなレッスンの空気が変わったのは、同じ午後にミリョンとキョンヒがやってくるようになってからだった。

新しい生徒ふたりがレッスンを始めるのだが、学校の都合で、その曜日にしかに来ることができない、そして、ふたりの家は練馬で、帰るのに時間がかかるから、私より先にレッスンをしたい——先生からそう説明があり、私のレッスンは二時間ほど遅い時間に変更された。

いつもの部屋で自分のレッスンの番を待っていると、やがてピアノの音が止み、先生が扉を開けて、「真里ちゃん、おいで」と呼びかけた。レッスン室に入ると、ふたりの女の子が立っている。私よりだいぶ背が高い。ふたりとも、リボンのようなもののついた胸から上が白く、その下は踵までまっすぐ伸びた黒い布の、変わった服を着ている。

「これは真里ちゃん。こちらがキョンヒ、こちらがミリョン。キョンヒは真里ちゃんのひとつ上で、ミリョンがふたつ上。これからここでよく会うことになるから、仲良くね」と先生が紹介してくれた。私たち三人は小さな声で「こんにちは」と言って、ぎこちなく会釈をした。

ふたりが部屋を出て私のレッスンが始まると、先生は簡単に説明してくれた。

「ミリョンとキョンヒは、朝鮮学校の生徒でね。これまでついていたピアノの先生が遠くに引っ越していってしまうんで、紹介されてここに来ることになったんだよ」

「ミリョン」と「キョンヒ」という名前や、ふたりの服装の意味も、朝鮮学校というのがなんなのだかも、私にはわからなかったが、なにをどう質問していいのかもわからず、なにも言わなかった。

それからしばらく、私たちはレッスンの交代のときにちょっと挨拶をするだけだったが、やがてときどき、ミリョンとキョンヒは自分たちのレッスンの後も残って、ソファに座って私のレッスンを見学するようになった。そうするようにと先生にすすめられたのだろうか。ふたりが見学する日は、私のレッスンはいつもより短めだったが、ひとに見られていると緊張感が増して、私はより真剣になった。レッスンが終わると、先生も一緒にみんなでお菓子を食べながらしばらくおしゃべりをした。

そうこうしているうちに、私たちはだんだんと仲良くなっていった。キョンヒのほうが年も近くおしゃべりなので、最初はとっつきやすかったが、しだいに私はミリョンのほうとより親しくなった。ミリョンはおとなしく内向的な雰囲気だったが、その思慮深さを先生も評価しているのがなんとなく私にも伝わってきた。私が隣の部屋で待っているあいだに聴こえてくるミリョンのベートーヴェンは、あのおとなしいミリョンの指や体から出てくるとは思えない、迫力のある音だった。

ミリョンとキョンヒの口からときどき出る「オモニ」という言葉がお母さんのことを指すのは、話の流れでわかったが、お父さんのことは話題にのぼらないので、なんと呼ぶのかわからずじまいだった。「オモニ」という単語以外に、ふたりが自分たちの暮らしについてとくに具体的な話をすることはなく、私はふたりが自分とはだいぶ違うらしいことはなんとなく察知したものの、どこのどんな家にどんな人たちと住んでいて、どんな学校に通っていて、そこではどんな科目をどんなふうに勉強して、どんな子たちと友達で、どんな遊びをするのか、具体的なことはさっぱり想像できなかった。

いろいろ訊いてみたいことがあったが、そうした質問をするのはいけないことなのかもしれないという思いが頭のなかに浮かんでは消え、けっきょく訊かないままだった。それでも、子供は子供であるというだけでの共通の話題がいくらでもあり、いったん仲良くなってしまえばしゃべることには事欠かなかった。

そうやって私のレッスンは、先生と一対一のちょっと緊張する時間だけでなく、友達とワイワイ楽しく過ごす時間にもなっていった。それと並行して、先生との親密感も増していった。

ある日、レッスンから帰ると、家では台所ですき焼きの準備がされていた。土曜日なので父親も家にいて、テーブルについている。楽譜の入ったバッグを自分の部屋に置くと、私は過ごしたばかりの楽しい数時間の勢いで、両親に報告した。

「ミリョンはね、こんどはショパンの難しい曲をやってるんだよ」

たいてい私が寝たあとにしか帰ってこないので私の生活をよく知らない父親が訊いた。

「なに、ミリョンって」

「『なに』じゃなくて、『だれ』でしょ？　ミリョンとキョンヒは去年から先生のところに来てて、ときどき真里のレッスンも見学していくの」

「ミリョンとキョンヒって子が、先生のところでピアノを習ってるのか」

やや驚いたような声で父親が訊く。

「そうだよ」

私が先生のところでピアノを習っているのだから、ミリョンとキョンヒが先生のところでピアノを習っていたってとくに不思議はないだろうに、なんでそんなことを訊くのかわからない。父親はすぐにはなにも言わなかった。ふたりのことを少し前から聞いて知っている母親も、なにも口をはさまない。

「ミリョンとキョンヒは、朝鮮人なんだよ」

私は得意げに言った。それがなにを意味するのかはよくわからないが、同じ東京に住んでいるとはいえ、自分とずいぶん違う世界に暮らしているらしい友達と仲良くしていることは、自慢すべきことだろうと思ったのだ。

油をひいた鍋に長い箸で野菜を並べていた父親が、ふと手を止めた。そして私のほうを向いて言った。

「真里。……『朝鮮人』って、あんまり言うんじゃないよ」

あまり聞くことのない、真面目な口調だった。

「なんで？　だってミリョンとキョンヒは朝鮮人なんだよ」

「もうちょっと大きくなったらわかるだろうけど、『朝鮮人』っていう言葉はよくないふうに使われることが多いんだよ」

「なんで？　だってミリョンとキョンヒは自分で朝鮮人って言ってるよ。朝鮮学校に通ってるんだよ。いっつも学校の制服着てるよ。まっすぐなムームーみたいな、下まで長いやつ」

父も母も言葉につまった。

答えが返ってこないとますます知りたくなる。

「え～、なんで？　なんで言っちゃいけないの？」

私はしつこく繰り返した。父親はちょっと困ったような表情でチラリと母親の顔を見る。

「真里が日本人だって言ってもいけないの？」

「それは別だよ」

「なんで？」

「だってだいたい、ここは日本なんだから、真里が日本人だってだれかに言う必要はないだろう。みんな日本人なんだし」

「ミリョンとキョンヒは朝鮮人だよ」

父親がなにを言っているのか、私にはさっぱりわからなかった。

父親は面倒臭くなったとみえて、

「まあいいから、とにかく、ふたりと話すときはいいけど、ほかの人と話すときに『朝鮮人』って言葉を使うのはやめておきなさい」とだけ言って、視線と手を鍋に戻した。

数年のうちに、レッスンの曜日や出入りする生徒はなんどか入れ替わり、私はミリョンとキョンヒのほかにも、先生のところに通う麻子ちゃんや奈々ちゃんやさっちゃんや香苗ちゃんとも仲良くなっていった。

クリスマス近くになると、先生がちょっとしたパーティをしようと言って、みんなが同じ日の午後に集まった。ソファに四人がぎゅうぎゅうになって座り、ふたりはピアノの椅子に、そしてキョンヒは「私はこれでいい」と言って、床にぺたんと座った。私たちがキャアキャア楽しそうにしているのを、先生は仕事用の椅子に座って後ろのほうで見守っている。

「連弾しよっか」とだれかが言った。たしかに、みんなレッスンで連弾の曲はいくつも弾いてきているのだし、せっかくこれだけ集まっているのだから、いつものように先生と弾くのでなく、生徒同士で連弾したら楽しいにちがいない。

「いいね！　やろう！」

「なに弾く？」

連弾をやろうと私たちが自分で言い出したのがうれしかったのだろう、先生は笑顔で立ちあがって、先生用のピアノの蓋の上に積んである山から連弾の楽譜をいくつか取り出して、私たちに一冊ずつ手渡した。私たちは生徒用のピアノのまわりでそれを囲み、「これ好き！」「私はこれ、上のパートしか弾けない」「これは私はやったことない」とか言いながら、入れ替わり立ち替わりで、ブラームスのワルツや「アイネ・クライネ・ナハト・ムジーク」を弾いた。つっかえたり間違えたりするたびに本人もまわりもケラケラと笑いながら弾くのは、レッスンや発表会のときとはまるで違う音楽だった。

ひととおり弾き終わって、はぁと一息つきながら、みんなでまたテーブルのまわりに座ってお菓子に手を伸ばしていたときだった。

「こんなのもあるよ」と、先生が奥から一枚のレコードと楽譜を出してきた。先生の一番近くに座っていた麻子ちゃんにまずそれを手渡す。「なあに、これ」といって麻子ちゃんはそれを隣のミリョンに渡す。ミリョンは数秒間それを見入ってから、みんなに見えるように、まん中のテーブルに置いた。私も含め、みんなが乗り出してそれを覗きこむ。

「なんだろう」

レコードのジャケットは、どこまでも続く牧場のむこうに山があり、そのさらに奥から太陽が昇っている風景画だった。外国のレコードとみえて、文字はすべてアルファベット。ひっくり返してみると、裏の解説もぜんぶ外国語だった。楽譜のほうも、黄緑色の表紙もなかの文字も、みんな横文字だった。私は楽譜を手に取って表紙を眺め、ゆっくり声に出してみた。

「ドヴォルザーク、フロム、ザ、ニュー、ワールド、フォー、ピアノ、フォー、ハンズ」

するど、背後から先生が言った。

「真里ちゃん、いまこれ読んだの？」ふだんは落ち着いて穏やかな先生が、なんだか驚いた声を出している。

「読んだっていうか……英語は読めないけど、アルファベットを見て、こうかなって言ってみただけ」

じっさい、アルファベットは知っていたが、英語を勉強したことはまだなかった。目の前の文字と、頭のなかにある作曲家の名前と、なんとなく聞いたことのある英語の単語を組み合わせて、あてずっぽうで言ってみただけだった。

「真里ちゃん、英語習ってるの？　おうちで勉強してるの？」

先生は私の顔をじっと見ている。みんなもキョトンとしたような顔でこちらを見る。

「ううん、してない」

「英語を勉強したことないのに、自分でいまこの文字を読んだの？」

「うん」

なにも見ないで英語を話したわけでも、長い文章を読んだわけでもあるまいし、それほど驚かれるようなことでもないような気がした。

「すごいね、真里ちゃん！」先生はお世辞でなく感心している様子だった。その先生の様子に、みんなもこれは感心すべきことだと思ったのだろう、すごい、すごいと一緒になって言い出した。なにがすごいのだか、私にはさっぱりわからない。

まるで天才を見たかのような表情のまま、先生は「これは、ドヴォルザークの交響曲をピアノ連弾に編曲したものなんだよ。交響曲のレコードを、最後の楽章だけ聴いてみようね」と言って、いつもの丁寧な手つきでジャケットからレコードを取り出し、ピアノの奥にあるプレーヤーにかけた。ドラマチックな映画に出てきそうな勇ましい音楽が鳴りはじまると、みんなはお菓子の包みをいじっていた手を止めて、真面目な表情で耳をかたむけた。十分ほどの楽章が終わると、だれからともなくみんなで拍手をした。

「この曲、知っている？」先生が訊いた。

ミリョンとキョンヒは「知らない」とすぐに首を振った。麻子ちゃんと奈々ちゃんとさっちゃんは、なにも言わずに考えている。そんななかで、「聴いたことある」と香苗ちゃんが元気に言うと、私もそんな気がしてきて、いや、おそらくは知っているほうがよいのだろうと思って、「私もどっかで聴いたことある」と言ってみた。

「日本語では〈新世界より〉って呼ばれていて、ドヴォルザークがアメリカにわたってから、ふるさとのボヘミアを思いながら書いた有名な曲なんだよ」と先生は説明してくれた。

＊

私がアメリカに行ったのは、そのクリスマスの集まりから一年ほどあとのことだった。

私はアメリカからときどき先生に手紙を書いた。言葉がまったく通じずに寂しく辛い思いをしているなどとはおくびにも出さず、明るく楽しく過ごしているふりをして、強がって書いた手紙だった。先生からもときどき、例の万年筆でエアメール用の薄い便箋に丁寧に書かれた手紙が届いた。私がアメリカで最初の夏を終え、中学校にあがろうとする頃に届いた先生の手紙には、白樺湖での様子が書かれていた。先生が設計をした小さな音楽ホール付きの旅館が白樺湖畔にあり、毎年先生の門下生たちは家族と一緒に一泊でそこを訪れ、午後には演奏会をし、夜は花火をしたりして遊ぶのが恒例となっていたのだ。

「ミリョンは、特訓を重ねていたショパンのバラードを堂々と演奏しました。キョンヒは演奏の前に『まだ見ぬ故郷に想いを馳せて演奏します』と堂々と挨拶してから、朝鮮に伝統的に伝わるメロディを編曲したものを演奏して、みんなの心を打ちました。そしてコンサートの第二部では、ふたりはドヴォルザークの〈新世界〉の一楽章を連弾しました」

ドヴォルザークがアメリカからふるさとを思って書いた曲を、ミリョンとキョンヒが白樺湖畔で連弾したことを、カリフォルニアにいる私への手紙に書くことで、先生は私になにかだいじなことを伝えようとしていたのだろうか、それとも単に事実を報告していたのだろうか。そんな問いは、生きるので精一杯の私には思い浮かばなかった。

The Plastic Wrapper

It was very seldom in 1980s Japan that mere ordinary college students read American literature in the English original. Thanks to the rich genealogy of translation since the Meiji era, we can read a good portion of the world's classics in Japanese, so one had to be pretty darn motivated to read foreign literature in the original language. Because I was an American Studies major and, as you will learn shortly, comfortable enough in English, I probably read more than most other students. One of the texts I read in English was *The Yellow Wallpaper*. I read it because I was interested in women's literature, but it certainly helped that it's very short, nothing like *Moby-Dick*.

But I wouldn't read it before going to bed if I were you. The story, based on the author Charlotte Perkins Gilman's own life, is about a woman suffering from temporary nervous depression—or so thinks her doctor-husband, who locks her up in an upstairs nursery of a colonial mansion for the summer. Forbidden to work or write, she spends days and nights staring at, yes, the yellow wallpaper whose grotesque patterns she describes with horrifying detail. Soon she begins to see the creepy patterns move. She sees a woman trapped behind it. She becomes one with the woman behind the wallpaper.

The feminist cry about the misogyny of the medical profession and the suppression of women's voices is hard to miss, but my associations with the story are more literal: wallpaper, writing, English.

One afternoon—I must have been about fourteen—in our tiny dining room in our tiny mansion (the Japanese kind, not the real one like in *The Yellow Wallpaper*), I reached out to the box of sweets on the table. It was one of those typical Japanese sweets that come in a pretty can, with each piece individually wrapped in plastic. I tore the little wrapper open, popped the sweet in my mouth, and bit into the fluffy wafer underneath the chocolate coating. I looked down at the clear plastic wrapping in my hand and saw the English writing printed in tiny white letters. I began to read. Well, not really. I found that each of the words was English alright, but the prose was maddeningly nonsensical, as if someone who had never studied English tried to compose sentences just by using a dictionary.

What *is* this? I read the string of words aloud to my mother. These things are not meant to be actually read, they're there just for visual effect, like patterns on a wallpaper, my mother said matter-of-factly. What the hell? If it was just for visual effect, they could have just copied some random old book or newspaper, like you sometimes see on the wall of a kitsch café trying to look cool.

I found the manufacturer's address on the sticker on the bottom of the can. I decided that it was my duty to share my sage advice with them. I walked over to the writing desk and took out the grownup-looking stationery. I then sat and wrote a letter, addressed to the president of the company. I introduced myself as a middle school student who had spent time in the United States and learned English. I conveyed my enjoyment of the delicious sweets and went on to express my dismay at finding the nonsensical Japanglish which I felt cheapened the fine product inside the wrapping. Then I wrote something along the lines of: "I would appreciate it if you would kindly consider re-designing your plastic wrapping so that you can avoid embarrassment in the event that an English-speaking person might pay attention to it. Thank you very much." I folded the letter, slid it into an envelope, copied the address from the sticker on the bottom of the can, opened the drawer where my mother kept stamps, took one and licked it and put it on the envelope. I mailed it on my way to school the next day.

Yes, I was that girl. Thank god I never had me as a daughter.

A few weeks later, when I came home from school, I found a large package waiting for me on the dining table. Inside the wrapping—plain white glossy paper, no gibberish for visual effect—were three big cans of sweets. On top of them was an expensive-looking envelope with my name written on it in calligraphy. The letter inside was in beautiful handwriting as well:

> Thank you very much for your thoughtful letter bringing our attention to the issues with the wrapping of our products. I am deeply embarrassed by this and grateful that you went out of your way to write to us. I am also impressed that a woman as young as you not only paid attention to such details but also has chosen to take action about what concerns you. I admire your ability to think and act on your own and believe that many wonderful things lie ahead for you. Please accept this gift as a token of our appreciation.

I went on doing such things throughout my teenage years—I wrote to our school principal, a local politician, the letters-to-the-editor section of the national newspaper, etc. etc., some of which I received a response for, and others of which were published. Remembering all this now in my middle age, I realize that despite all the frustrations I harbored about life, I somehow managed to spend my youth without having people like the husband in *The Yellow Wallpaper* trying to silence me. Or maybe there were such people, and I simply didn't notice them. That obliviousness turned out to be a great asset as I went through life. But as grateful as I am now of this incredible fortune, the point I'm trying to make in fine print here is not about my successful evasion of patriarchy but about my righteous intolerance of that plastic wrapper.

I mean, why did I even care? This wasn't my first encounter with misspelled or misused English on things Japanese. By then I had known that such things were all over Japan—on signage, advertising, billboards, instructions for use for everything from electronics to underwear—the sort that foreign visitors to Japan make fun of on Twitter today. They were all stupid and embarrassing, sure, but what business was it of mine, a fourteen-year-old?

The thing is, I had come to possess a grossly misplaced sense of ownership over the language—the English language, that is. It was one thing to see some typo or bizarre syntax in Japanese writing, which I found irritating but was not personally offended by. But to see English butchered thus, with no respect for the vocabulary and usage and grammar that make it function as a language—that made me almost go mad, like the lady in *The Yellow Wallpaper*. No, it wasn't because English is the lingua franca of the modern world, or that it is the language of Shakespeare and Dickens and Austen and Twain that should be respected and treated with care. None of that was my business. No, what mattered was that it was the language that *I* had labored so hard over so that I could occupy a small space in a world that would not have let me otherwise. Learning to decipher and acquire the English external to me and to assemble and assimilate it inside of me was central to my becoming. To see the language reduced to a pattern on a plastic wrapper felt like my entire being was made fun of. If I had known that in just a few years I was going to be sitting here, where English was mere visual effect on a plastic wrapper for sweets, perhaps I would not have bothered to spend so much of my effort learning the damn language—with those dictionaries and vocabulary cards and sentence trees and outlines and paragraphs and topic sentences—and instead spent more time doing whatever other things young people do, and I would have lived happily ever after.

But it was too late. English had dwelled in me long enough not only to ruin my snack-eating experience but to change a whole lot of other things in life. English changed the way I existed in the world. The rest of the book you're about to read tells that story. And then some.

ある日、とつぜん

父がカリフォルニアに転勤になったとき、私は小学五年生だった。

クラス替えで気の合う新しい友達もでき、学校から家までほんの二分ほどの道を、好きな男の子が一緒に帰ってくれるようにもなって、せっかく楽しい毎日を送っているのに、みんなと離れて知らない土地に引っ越すなんてイヤだ、ましてや言葉の通じないところに行くなんて絶対にイヤだと、泣いて地団駄を踏んだ。

しかしそんなことをしたところで、どうにもならなかった。ひとあし先に父が現地に行って、住居などをひととおり整えてから、数か月後の十月下旬のある日、私はちょっとよそ行きの紺のスカートとベストを着て、この日のために買ってもらった布のスーツケースを引っ張って、母と一緒にマンションを出た。箱崎のリムジンバスターミナルには、叔母と祖母が見送りに来てくれた。

ＪＡＬが花形企業と思われていて、フライト内のサービスが行き届いている時代だった。スチュワーデスさんたちはみんなやさしく、さっきまで泣きべそをかいていたのをすっかり忘れさせてくれるほど、飛行機の旅は快適だった。

サンフランシスコ空港に着くと、まだピカピカのOldsmobileで迎えにきた父親の運転で、四十五分ほどハイウェイに乗って、これから暮らす家に向かった。父親の運転する車に乗るのははじめてだった。窓から見える青空と木々や草花は、秋とは思えない彩りをしていた。

週末は、まずは生活用品をととのえるため、車であちこち買い物に出かけた。店も道路も人間もいちいち大きい。東京の住宅地のマンションで育った私にはそれまでなかった「郊外」という概念が、なるほどこういうものを指すのかと合点がいく気がした。

——そして月曜日。両親に連れられて、学校に行った。

townhouseと呼ばれる集合住宅の横を走る大通りを渡って、住宅地の通りを数回曲がりながら十分ほど歩いたところに、Ortega Elementaryはあった。

道沿いに並んでいる家はどれも、歩道と建物の間に芝生があり、豪奢ではないがモダンで素敵で、一階建ての平家なのに、とてつもなく大きな家に見える。どの角にも、通りの名前を書いた標識があるのだと、前の日に父親に教えられたばかりだった。Blue Jay Drive とか Canary Drive とかいった通りの名前が、英語がわからない私にも、なんだかのどかに感じられた。Sunnyvale という街の名前からして、燦々と陽の降り注ぐ土地に街を作った人々の底知れず楽観的な世界観を表しているような気がして、道を隔てた Cupertino よりも、この名前のついた街に私も住みたいと思った。そのあたりに特有の樹からくるものなのか、それまでに嗅いだことのない匂いがする。

学校の敷地には、ひたすらだだっ広い芝生の広場があり、そこを突っ切って校舎にたどり着くまで、さらに数分かかった。

白い大きな文字で Office と書かれた茶色のドアを開けてなかに入り、父親が名前を告げると、担当のスタッフらしき女のひとが、なにか言いながら私たちを教室まで連れていってくれた。両親はその「なにか」を理解しているらしく、それなりの受け応えをしている。その姿を見て、親にそれまでに抱いたことのない尊敬をおぼえた。

Office から、中庭とも通路ともつかない屋外の空間を歩いて「教室」に行く。スタッフのひとが重そうな赤いドアを開けて、どうぞ、と手で指図する。なかに入ると、日本の学校のクラスの半分くらいの数の生徒が、コの字型に机を並べて座っている。

黒板の前に立っている担任の先生は、「ミス・ダイノ」という名前だと教えられた。袖が膨らんだブラウスにベスト、そしてちょっと裾の広がった赤っぽいズボンという、妙ちきりんな服装の「ミス・ダイノ」が、いったいどのくらいの年齢なのか、私にはさっぱり見当がつかなかった。

「ミス・ダイノ」は、やさしそうな笑顔で私を迎え入れてくれて、生徒たちに私を紹介した。「ジャパン」という単語しか聞き取れないのは、そのほかの単語をまるで知らないのだからあたりまえだったが、日本から来たばかりでまだ英語ができないので、みんな親切にしてあげましょう、といった類のことを言っていたのであろう。

「じゃあ、あとで迎えにくるからね」

それまで黙ってドアのそばに立っていた両親はそう言って、私を置いてさっさと帰っていってしまった。その瞬間から、ひとりの闘いが始まった。

金色や茶色の髪をした生徒たちが、物珍しさを隠さずにジロジロこちらを見ている。教室の右隅では、長い髪をなびかせて、同じ小学六年生とは思えないほどの色気がある女の子たちが、コソコソと笑いながら、ちょっと意地悪そうな目線をこちらに向けている。ドアに近い席の、背の小さな金髪の男の子が、ひょうきんな調子でなにか言って、みんなの笑いを取っている。その隣の席に座っている男子は、その子のお父さんかと思うほど風貌が違う。

「ミス・ダイノ」は、こっちにいらっしゃい、と手で合図をして、ドアと反対側の壁沿いにある空席に私を座らせた。そしてその左隣の女の子を、「ミカ・ミヤモト」だと紹介してくれた。

英語をひとことも話さない日本人の女の子を「ミカ・ミヤモト」の隣に座らせようというのは、「ミス・ダイノ」の頭のなかでは、ごく当然のことだったのだろう。

しかし、私が英語ができないのと同じくらい、「ミカ・ミヤモト」は日本語ができないことが、すぐに判明した。意思疎通がまるでできないという意味では、ほかのどの生徒の隣に座っても同じことだった。

「ミカ・ミヤモト」は、黒い髪をしてはいるが、日本人の髪と同じなのは黒いことだけで、私が子供の髪にはそれまで見たことのない、ゆったりとしたウェーブがかかっていた。目つきや仕草からして、日本人とはあきらかに違う。機嫌が悪いのか恥ずかしがっているのかわからないが、ボソボソと小さな声で話すミカの言葉は、「ミス・ダイノ」の言葉よりも聞き取れなかった。

日本人の転校生がやって来て、自分の隣の席に座る。その展開をミカが喜んでいる様子は、まったく感じられなかった。私が教室に入ってきたとき隅でコソコソと笑っていた女の子たちとミカが仲良しらしいということは、休み時間になるとわかった。


両親が迎えにくるまで、学校で過ごしたのはほんの数時間だったが、私は一生を生き終えたようにぐったりしていた。笑顔でSee you tomorrow, Mari! と声をかけてくれる「ミス・ダイノ」に、「バイバイ」と言ってみた。「バイバイ」とは子供同士で使う言葉だと思っていたが、どうやら子供が先生に対して使ってもいいらしい。

教室を出るとき、その週はHalloweenなので、翌々日の昼休みにあるコスチューム大会のための衣装を持ってくるように「ミス・ダイノ」に言われたと、親が説明してくれた。しかし、Halloweenとはなんなのか、ニューヨークで暮らしたことのあるはずの親も漠然としかわかっていないようだったし、コスチュームと言われても、いったいどんなものを持っていけばよいのか、まるで見当がつかなかった。とりあえず私たちは、近所の雑貨屋のそれらしいコーナーに行ってみた。家族三人で買い物に出かけるなど、日本ではめったたにしたことがなかったし、まして、私が学校に持って行くものを父親も一緒になって探すなど、私の記憶のかぎり、はじめてのことだった。

カボチャのデコレーションと一緒に、怪獣やら魔女やらスーパーマンやら動物やらのコスチュームが、ところせましと並んでいる。そのおどろおどろしさを前に気が萎えた。

私は、棚の目立たない隅に寂しそうにちょこんと置かれていた、チャーリー・ブラウンのお面とマントのセットを買ってもらった。

「これにする」

Halloween の日、昼休みのベルが鳴ると、教室じゅうが大騒ぎになった。生徒たちは大張り切りで、持参のコスチュームをガサゴソ取り出して身につけ、素っ頓狂な声を上げたり飛び跳ねたりしている。なにがなんだかさっぱりわからない。とにかく、持ってきたマントとお面をつけ、みんなと一緒に「ミス・ダイノ」の後をついて外の広場に出た。ほかの教室からも、同じように妙な格好をした生徒たちが出てきて、みんなで大きな輪になって並んだ。先生や職員も、魔女や動物のコスチューム姿で待機していた。生徒の親や近所の人たちなのだろうか、おとなもたくさん見物に来ている。

輪になった生徒たちは、身振り手振りや声まねつきで、うれしそうに変装を披露しながら、時計回りに歩いた。なにかしら一生懸命考えて手作りで拵《こしら》えたらしい衣装を着ている子は、自慢げにおとなたちにあれこれ説明しながら歩いていたが、市販のコスチュームを着ている私は、ただ黙って歩いていればよいのがありがたかった。

それでも、楽しそうに見物している人のよさそうなおとなが、How are you, Charlie Brown? と話しかけてきた。

そのときの私が知っている英語の挨拶は、Hello と Goodbye と Thank you だけだった。How are you? というフレーズは、聞いたことはあっても、返事のしかたはまだ知らなかった。やさしく声をかけてくれるおとなになんの返事もしないまま、私は前の子の背中を見ながらとぼとぼと歩いた。

＊

そうやって始まった学校生活は、一日一日が永遠に感じられた。

授業の内容がなにもわからないのは当然だったが、内容以前に、そもそもなんの科目をやっているのか、いや、なにかの科目の勉強をしているのかどうかすら、理解できなかった。時間割にしたがって教科書やノートを広げて先生の話を聞くのが学校の授業というものだと思っていた私には、「ミス・ダイノ」も生徒たちも、なんの計画も目的もなくテキトーに時間を過ごしているようにしか見えなかった。なんらかの知識や情報が伝達されているようにも見えなかった。

一にも二にも、なにが起こっているのか、さっぱりわからなかった。みんなが机に向かって練習帳のようなものになにか書きものをしていたかと思うと、とつぜんクラスの半分が立ち上がって、どこかに出かけて行くことがあった。自分はその生徒たちと一緒に行くべきなのか、教室に残るべきなのか、「ミス・ダイノ」やまわりの生徒たちが私に向かってなにか言っているのだが、理解できない。しかたないのでそのまま席に残って、日本から持ってきた英語の教材を眺めながら、ちっとも進まない時間を過ごした。

ほかのクラスや学年の生徒たちも一緒に大きな部屋に集まって、どうやらゲストとして呼ばれたらしい人のギター伴奏で、歌を歌うこともあった。「サウンド・オブ・ミュージック」に出てくるのでメロディは知っている歌もあったが、歌詞がわからないので、黙って座っているしかない。なんの予告もなく、ごくたまにこういう集まりがある以外に、音楽の授業というものはなかった。

またあるときは、とつぜんすべての机を教室の後ろに移動し、空いたスペースでゲームをした。みんなが円を作って座り、目をつむり、「ミス・ダイノ」がひとりを It という役に指名する。Itになった子は、円の外をしばらく歩いたり走ったりして、途中でだれかひとりの肩や頭をちょっと叩いてから、みんなに混じって座る。しばらくするとみんなが目を開け、肩を叩かれた子が立ち上がって、Itはだれだったかを当てようとする――というようなルールらしいことは、何回かやっているうちに理解した。

六年生にもなって、こんな子供じみた遊びでみんなが喜んでいるらしいのが、理解できなかった。そもそもなぜ、休み時間でも放課後でもなく、授業時間のまっ最中に、先生と一緒にこんな遊びをしているのか。日本の学校では四字熟語や県庁所在地や各地の産業を覚えたりして、塾ではつるかめ算を習ったりしていたのに。そんなことを頭のなかでは思っても、この教室でもっとも知能の低い人間の位置づけにあるのは、会話ひとつできない自分だった。

一週間ほどたつと、私の人生に「ミセス・ミヤモト」があらわれた。ミカのお母さんだった。ミカが片言も日本語ができないのに対して、「ミセス・ミヤモト」はほぼ不自由なく日本語を話した。ミカはSansei、ゆえに「ミセス・ミヤモト」はNiseiだった。それがなにを意味しているのかはよくわからなかったが、とにかく、一日じゅう唖のようになにも話さず、ひとりでほかの生徒とは関係のないことをしていた私には、会話ができる相手が目の前にあらわれたのが、天からの贈りもののように思えた。

「ミセス・ミヤモト」は、日本から英語を話さない転校生がやってきたとミカから聞いて、ボランティアで英語の個人指導をしようとミス・ダイノに申し出てくれたらしい。そうやってときどき、みんなが授業を受けている最中に、「ミセス・ミヤモト」が教室のドアをノックし、私ひとりを別の部屋に連れ出してくれるようになったのだ。

私は知らないおとなを相手にひとりで話すのは苦手だったが、そんなことはすっかり忘れてしまうくらい、言葉が通じるということの意味は大きかった。私はミセス・ミヤモトを前にすると、蛇口の栓をひねって流れ出る水のように、次々と言葉を口にした。

「ヨンデミマショウ」

そう言って、ミセス・ミヤモトはバッグから一冊の本を取り出した。幼稚園生か小学校低学年向けと思われるイラスト入りの本だった。日本語では『あしながおじさん』や『若草物語』を暗誦できるほど繰り返し読み、ジュディやジョーのように作家になりたいと思っていたのに、こんな子供用の絵本を読むまで自分の知能が後退したのかと、一瞬泣きたくなったが、じっさい読むことも理解することもできないのだからしかたがない。

ミセス・ミヤモトは、一ページずつ、一語一語、ゆっくり指をさしながら、私に音読させた。私の知らない単語をひとつずつ、発音を繰り返し、意味を説明してくれた。ほとんどの単語は知らないのだから、子供用の本なのに最後までたどり着くには果てしない時間がかかったが、ミセス・ミヤモトは辛抱強く、やさしく、つきあってくれた。

ミセス・ミヤモトの姿が教室のドアにあらわれるのを、私は心底楽しみにするようになった。善意以外なんの動機もなく、私が少しずつ英語を覚えて学校生活に馴染んでゆくのを見届けるほかにはなんの見返りもない、純粋なボランティアだった。いつも決まった時間に来てくれるわけでもなかった。それでも、ミセス・ミヤモトとの時間が、私にとっての学校のハイライトだった。

いっぽう、ふだんの教室では、隣の席に座りながらも、ミカと会話らしきものをすることはなかった。ミカが積極的に話しかけてくることはなかったし、私のほうでも、言葉ができないのだから、話そうにも話しようがなかった。それでも私は、チラリチラリと横を覗き見しながら、ミカの生態を観察した。

ミカは字が綺麗だった。なにかとくべつな筆記用具を使って、模様のような飾り文字を書いている。私も同じペンがほしかった。ミカがノートの表紙や友達に渡す紙きれに書いている文字はとても素敵に見えたし、ああやって私も一文字一文字アルファベットを綺麗に書きしたためていれば、しだいにその文字が表す言葉の意味も身につけられるのではないかという気がした。

親にねだってみたものの、その筆記用具がどんなものだか、どこに行けばそんなものが買えるのか、親はわからない。すると、それはcalligraphy penというのだと、ミセス・ミヤモトが教えてくれた。そしてさらに、私のためにそのペンをどこからか買ってきてくれた。Calligraphy Notebookという筆記練習帳まで一緒だった。そのペンで私もミカのように綺麗な字で、まずは *Mari Yoshihara* と書けるようになるよう、せっせと練習した。

ひたすらわけのわからない時間が過ぎていくその学校で、唯一、毎日決まった時間にきちんとおこなわれるのが、算数の授業だった。

どうやら算数にかんしては、習得度に応じてクラス分けがなされていて、ふだんの教室とは別の教室で授業を受ける仕組みになっているらしい。初日に算数のテストを受けさせられたのだが、小学生低学年レベルの問題で、ほんの数分で終わってしまった。英語ができないから、全般的に学力が低いと思われているのだろうか。しかしどうやら、私は上のクラスに入れられたようだった。日本では算数が苦手だった私には、その事態そのものがよく理解できなかったが、上のクラスでも、やっていることはとても簡単なことだった。

午後には、別のクラスにいたジュディスという名前のインドネシア人の生徒と、中米のどこかの国から来たらしい、ヒメネスという低学年の子と一緒に、十人乗りくらいの小さなスクールバスに乗せられて別の学校に行き、その一室でESLなるものの授業を受けた。ESLとはEnglish as a Second Languageの略で、英語を第一言語としない生徒のための英語指導法だ。移民国家アメリカでは、各地の学校でこうしたカリキュラムがあるらしい。

その趣旨がご親切でご立派なものであるのは、子供の私にもなんとなくわかったが、その教室でじっさいにおこなわれていることは、円になって座って目をつむってItがだれかを当てるのと変わらず、授業とも呼べないようなものだった。

英語ができない子供たちばかりが集まっているのだから、ふつうの授業よりもさらに程度が低くなるのは当然だった。そして、英語ができないのはみな同じでも、その教室に集まっているのは、日本人駐在員の娘である私のほかに、メキシコからの移民、ベトナムからの難民、台湾からの移民などさまざまで、年齢にしても背景にしても家庭環境にしても、共通点はほとんどなかった。

英語を学ぶことへの意欲や姿勢もてんでばらばらだった。自国の言葉でも読み書きがあまりできないのではないかと思われる子もいた。アフリカのどこかの国から来たらしい、片目に義眼を入れた男の子がいた。なにか嫌なことがあったわけでもなさそうなのに、いつもやたらと先生やほかの生徒に向かって攻撃的な態度や口調をとる子もいた。レベッカというメキシコ人の子は、よく聞いてみるとアメリカに来てからもう数年になるらしいが、英語力は私と変わらなかったし、先生になにか言われると、自分の胸を叩きながら「ミー、メヒコ！」と大声を上げて、英語の拒否を表明していた。

こうした生徒たちがそこに集まるようになった状況はわからなかった。ただ、こういう雑多な生徒やその家族たちが「アメリカ」を作っているのだということは、子供ながらに漠然と理解していった。英語習得という本来の目的はあまり達成されているとは思えないものの、午前中はそれぞれの学校で肩身の狭い思いをしたりいじめられたりしているであろう生徒たちが、この教室での数時間は、英語のできないものどうし、滅茶苦茶な言葉を心おきなく口にしながら遊んでいるのだった。

＊

「カリフォルニアで最初の頃、真里はずっと機嫌が悪くて、学校から帰ってきてもむすっとして黙りこくっていたけど、ある日とつぜん英語をしゃべり始めた」

ずっとあとになってから、両親はひとと話すとき、よくそう言っていた。それを聞くたびに、そんな馬鹿なことはあるまい、それは親が勝手に修正脚色した話で、私は毎日必死で英語を聞いたり読んだりして勉強して、少しずつわかるようになったのだと、胸のうちで反論したものだが、もしかするとほんとうに、「英語ができない自分」から「英語ができる自分」への境界線を、ふっと超えた瞬間があったのだろうか。

カリフォルニアでの最初のクリスマス休みに、私たちは藤倉さん一家と一緒にDeath Valleyに車で小旅行に出かけた。藤倉さんは父の会社のひとで、父より数年前に赴任してきたのだが、カリフォルニアの生活がよほど気に入ったのか、そのままアメリカに永住することにして、採用形態を駐在員から現地採用に変えてもらった――というようなことを親から聞いたが、子供の私にはあまり意味をなさない話だった。

奥さんもとても社交的なひとで、英語もそれほど上手ではないし、アメリカの事情にそう通じているわけでもなさそうなのにもかかわらず、すっかり地元に溶け込んで楽しく暮らしているように見えた。私たち一家の生活が落ち着くまで、車であちこち連れて行ってくれたり、どこに行けばなにを買えるのか教えてくれたり、医者や歯医者についての情報も提供してくれたりと、あれこれ親切にしてくれた。

藤倉家にはふたりの男の子がいた。

数年間のカリフォルニア生活で、ふたりはすでに日本語よりも英語のほうが楽になっていて、親が子供に話しかけるときは日本語だが、きょうだい同士では英語でしゃべっていた。私より三つ下のユウくんはYuのままだったが、私と同い年のマコトくんはだれにつけられたものだか知らないが、Markという名前を学校では使っているらしく、ユウくんもお兄ちゃんのことをMarkと呼んでいたし、藤倉さんと奥さんも、自分たちがつけたマコトという名前でなく、Markと呼ぶのには驚いた。

会社の人たちとの家族ぐるみのつき合いが多い駐在員生活で、子供の私まで、山際さんや高橋さんや脇田さん、そしてその奥さんたちと親しくなっていた。なかでも藤倉さん夫妻は話しやすくて好きだったが、私は英語ができなかったこともあって、Markくんとユウくんとは、なんども会っているのにほとんど口をきいたことがなかった。

そもそも、小さい頃にいとこたちと一緒に鳥取の海や琵琶湖に行ったのをのぞけば、私はほかの家族と一緒に旅行に出かけたことなどなかった。両親とでさえ、物心つくかつかないかの頃、箱根に一泊旅行したことがあるくらいで、家族旅行なぞに出かける文化は我が家になかった。それでも、我が家のOldsmobileのセダンと藤倉家のステーションワゴンを連ねて砂漠に出かけ、みんなで一緒にモーテルに泊まるという計画は、非日常に満ちていてちょっとワクワクした。

目的地に着くと、どこまでも続く塩の地面を前にしておとなたちは喜んで写真を撮っていたが、自然の風景に興味がない子供の私には、なぜこんなものを見るためにわざわざる一日ドライブしてきたのか理解できず、みんなでモーテルに泊まることのほうがずっと楽しみだった。

クリスマスの夜、私たち一同は、隣どうしにとった二部屋のあいだのドアを開け放して、丸テーブルや椅子を片方の部屋に集めた。そして、バーベキューやピクニックのときに使うクーラーいっぱいに持ってきた食べものが、大きな紙皿に盛られた。

「ちょっとはクリスマスらしくと思って、こんなの持ってきちゃった」

藤倉さんの奥さんが、スーツケースから細長い段ボールの箱を取り出した。針金とプラスチックでできた、小さなクリスマスツリーだった。

別の箱に入っていた脚台を組み立ててツリーを差し込み、畳んであった枝を一本一本広げると、それなりの大きさになった。藤倉さんの奥さんは部屋をくるりと見まわして、そのツリーをテレビ台の上に置いた。そしてスーツケースから、こんどはビニール袋を取り出して、Markに手渡した。

「ちょっとあなた、そっち持って」

そばのテーブルにぎっしり並んだ食べ物を眺めている藤倉さんのおじさんにそう言って、ふたりは大きなテレビ台を少し前にずらした。すると、Markは黙って、袋に入っていたライトの飾りを、慣れた手つきでツリーにぐるぐると巻いた。そしてなにも指図されることなく、プラグをテレビ台の後ろにあるコンセントに差し込んだ。

赤や青のライトが点灯し、みんなの口から「わー」と声が出た。ビニール袋には大きな星形の飾りも入っていて、椅子の上に立ってツリーのてっぺんにそれをつけるのは、ユウくんの役目だった。

テーブルに並んだ食べ物がなくなると、藤倉さんのおじさんが三人の子供たちに声をかけた。

「よし、トランプしよう!」

ほかのおとな三人は、もうひとつのベッドと椅子に座って、ウィスキーを飲みはじめた。私の両親は、子供の扱いが得意ではなく、ほかの子供と言葉を交わす様子は、私から見てもぎこちない。それと対照的に藤倉さんは、子供扱いされていると子供に感じさせずに、一緒になって話したり遊んだりしながら、自分も楽しそうだった。私はだんだんMarkやユウくんにも慣れて、楽しくなってきた。

順番がまわってきて、私はベッドのまん中に積まれた山から一枚のカードを引いた。引いた一枚を手持ちのカードと合わせてじっくり考えてから、手元の一枚を抜き、数字を表にして下に置いた。

藤倉さんが、からかうような笑顔を浮かべて言った。

「まりちゃん、ホント？　それ捨てちゃっていいの？　ホントにホント？」

うん。

藤倉さんはもういちど繰り返した。

「ホントにホントにいいの？　もう取り返せないよ～？」

藤倉さんたちに感じている親しみを表現しようという気持ちが無意識にあったのだろう、そして、こういう表現をすれば面白がられるとわかっていたのだろう、私はふと英語で言った。

I know! And it's none of your business!

それを聞いて、藤倉さんとMarkとユウくんは、どっと大笑いした。

Well, oh-kay, then! Excuuuse me!　藤倉さんのおじさんは、小慣れた英語の抑揚で応えた。

そのやりとりを耳にした私の両親も笑っていたが、面白がって笑っているというよりは、驚きと戸惑いをどう表現してよいのかわからずに出てきた笑いのようだった。

あれが、両親の前で私が最初に発した英語だったのかもしれない。

ＥＳＬのクラスでは、英語ができなくても馬鹿にされないという安心感はありがたかったが、数か月すると、そこで過ごす数時間はあまりにも退屈に感じられるようになった。

やがて、ミス・ダイノと学校にお願いして、ＥＳＬに行くかわりに、午後もクラスのほかの生徒と同じように授業に出席させてもらうことにした。授業がわからないのは相変わらずだったが、ほかの生徒と少しは対等な扱いをしてもらえるような気がした。

そしてみんなと同じように、「南アメリカの国をひとつ選んで、その国の地理や人口構成や産業や文化について調べ、レポートを書く」という課題を、一か月くらいかけてやった。調べるといっても、辞書を引きながら百科事典や小学生向けに書かれた本を読み、ミセス・ミヤモトに手伝ってもらってまとめただけだったが、レポート用紙に二十枚ほどにもなるレポートに、みんなの真似をして透明なプラスチックのカバーをつけ、表紙にcalligraphy pen で

Brazil

By Mari Yoshihara

と書いて提出すると、ミス・ダイノはその表紙に、大きなAとその横にVery well done, Mari! と書いて返してくれた。

いなり寿司の発表

ある秋の日のことだった——とはいっても、この街では夏とも冬とも春とも、気温はそれほど変わらない。それでも、日差しや風の加減で真夏とは違うのを感じ取ることができるくらいには、ホノルルに住むようになってから年月がたっていた。

9・11のテロ事件から一年と少しが過ぎていた。あの日を境にアメリカは、私がそれまでに知っていた国とは別のものに変わっていくのが、合衆国本土から遠く離れたハワイでも感じられた。ふだんはそれほど目にしない星条旗が、ごくふつうの住宅街の軒先にもよく見られるようになっていた。基地やその周辺のエリアはこうした空気がさらにずっと強いだろう。きょうだいや配偶者がアフガニスタンに派兵されたという話を学生から聞くことも増えた。戦争や、テロ対策を名目にした人種差別に抗議する集会やデモ活動も、あちこちで繰り広げられていた。

そんななかでも人々は、犬の散歩に出かけたり、ガレージを整理したり、話題のレストランに出かけたり、子供をサッカーの練習に連れていったりと、あたりまえの生活を営んでもいる。自分も、レポートの採点をしたり、恋人と別れたり、車の修理をしたりして、自分の日常と意識をとりまく大小のことがらのちぐはぐさに当惑しながら過ぎていった一年間だった。

授業を終えて昼休みにカフェテリアに向かう途中、行きかう学生たちのなかに、見慣れた姿が目に入った。中肉中背、アジア人としてはやや肌が黒く、地味なアロハシャツを着て、いかにも本がたくさん入っていそうなバックパックを肩にかけている。その見てくれは、この大学ではまるで目立つところのないものだったが、それでも私がKyleにすぐ気がついたのは、彼が東アジア言語文化学科で沖縄文学を専門にしている大学院生で、私がかかわっていたカルチュラル・スタディーズのプログラムにも在籍していたので、同じ場所に居合わせることがよくあったからだ。

目が合うと、あ、という表情でKyleは手を挙げた。

「Hi, Mari! そうだ、Mariに言おうと思ってたことがあるから、ちょうどよかった。Mari

がアジア人とクラシック音楽についての研究をしてるって聞いたんだけど、ほんと?」

こちらの顔を見るなりそう言った。私とは学科も違って、自分の指導生ではないし、学部を卒業してすぐに大学院に入ってくる学生よりはやや年齢が上のようだったこともあって、学生というよりは後輩のような感じで私は彼とやりとりしていたが、向こうも私が相手だと、白人男性の教授と接するときよりだいぶ気楽そうな雰囲気だ。そうした扱いを受けるときに、アジア人の女性だと思って馬鹿にすんなよ、とムッとすることも多いが、Kyleについては、不思議とそういう感情は起こらなかった。

「僕、Jon Nakamatsuと仲良しだから、インタビューしたかったら紹介できるよ」

Kyleの口からそんな話題が出るのはやや意外だった。Jon Nakamatsuの名前はもちろん知っていた。一九九七年のヴァン・クライバーン・コンクールで優勝していらい、各地でコンサート活動を続けている、カリフォルニア出身のピアニストである。そうした国際的なコンクールに出るほかの出場者はたいてい、ジュリアードやカーティスのような名門音楽院の学生や卒業生だが、彼はスタンフォード大学でドイツ語と教育学を専攻し、高校のドイツ語の教師として仕事をしている最中にクライバーン・コンクールに出場して優勝したという、異色の経歴で注目を浴びた。

「へえぇ、そうなんだ、じゃあ、もしホノルルに演奏にでも来ることがあったら、インタビューしたいから紹介をお願いする」と言うと、Kyleはオッケー、と気さくに返事をして、学科のある建物に向かってスタスタと歩いていった。

それから約半年後、ホノルルの室内楽団から送られてきたハガキに、Jon Nakamatsuの名前があった。その春のコンサートで共演するらしい。私の研究はなんとか軌道に乗りはじめたところだった。こりゃラッキー。私はすぐKyleにメールを打った。

「Jonがハワイに来るみたいだけど、ほんとに紹介してもらえる?」

Kyleはさっそく私をJonとつないでくれて、とんとん拍子にことは運んだ。演奏当日の昼間にゆっくりインタビューに応じてくれたJonは、ビデオなどを見て想像していたとおり、芸術家ぶったところのまるでない、気さくで、地に足のついたひとだった。

そしてその夜、Jonの出演するコンサートに出かけた。

会場は、ホノルル美術館内にあり、よく外国映画などの上映をするホールだった。室内楽のコンサートはたいてい閑散としていて、聴衆は高齢の白人ばかりのことが多いが、この日は、開演十分ほど前に会場に入ると、客席はかなりいっぱいだった。年齢層も、いつもよりあきらかに低い。日系人と見える人たちがいつもより多いのは、Jon の親戚や友達がたくさんいるからだろう。

ハワイの日系コミュニティの親戚づきあいやネットワークの強さは、数年前に少しだけつき合っていた Ryan の暮らしぶりで垣間みていた。やれ母の日だ、父の日だ、おじいさんの誕生日だ、おばさんの退職記念パーティだ、従兄の結婚式だ、姪の卒業式だと、なにかにつけて親族が二十人以上も集まって、食事だのピクニックだのをする。そんなにしょっちゅう集まって、飽きたり喧嘩になったりしないのかと、呆れるやら感嘆するやらだったが、そんな正直な思いはとても口にできないほど、血縁が暮らしのあたりまえな一部となっていた。とてもつき合いきれないという思いと、ちょっと羨ましいという気持ちが、私のなかで交錯した。

コンサートにはとうぜん Kyle も来ていた。早めに到着したと見えて、ホールなかほどの良い席に座り、いつもと同じような色褪せたスタイルのアロハシャツ姿で、周囲にブレンドしている。目が合うと、ここまだ空いてるよと、自分の隣の席を指してこちらに合図をしてくれた。私は、Excuse me. を繰り返しながら、同じ列に座っている人たちに立ってもらったり横座りになってもらったりして、Kyle の隣の席にたどり着いた。

プログラムの前半は、私が名前を聞いたこともないフランスの作曲家の小品と、モーツァルトのピアノ四重奏だった。

休憩時間、隣のKyleに訊いた。

「でもって、どうしてJonと友達なの?」

「同じカリフォルニアのSouth Bayで育った、幼なじみなんだ」

Kyleがカリフォルニア出身だということはなんとなく知っていたが、そうか、South Bayだったのか。

「へえ、そうなんだ。私もちょっとだけ、South Bayに住んでいたことがある」

私がそう言うと、Kyleは顔を九十度こちらに向けてしばらく沈黙したあと、もしやというような声音で言った。

「South Bayのどこに住んでたの?」

「Cupertino」

さらにしばしの沈黙。

「いつのこと?」

「一九七九年から一九八二年まで」

さらに沈黙するKyleの表情が変わっていくのがわかった。そしてKyleは数秒後、目を丸くして言った。

「六年生のクラスにいた!」

?・?・?・?・?

「六年生のとき、日本人の女の子が転校してきた。それがMariだったんだ!」

ひとりで興奮しているが、なにを言っているのだか、こちらはさっぱりわからない。

「Cupertinoで、どこの学校だったの?」

Kyleは質問を続ける。

「えっと、Ortega ElementaryとCollins Junior High」

Kyleの表情がまた変わった。

「やっぱり! そうだ、一緒だったんだ! そういえば、その転校生はMari Yoshiharaっていう名前だったけど、ひとことも英語を話さない子だったから、そのMari Yoshiharaと、ここで今、カルチュラル・スタディーズの理論とかを滔々と論じているこのMari Yoshiharaが同じ人間だなんてまさか思わなくて、今まで全然気がつかなかった。このMariは、あのMariだったんだ!」

ますます興奮している。

――そんなことがあるわけはない。

アメリカでは、大学を卒業してからさまざまな経歴を積んだうえで大学院に入ってくる学生がかなり多いので、大学院生の年齢はまちまちだ。Kyle と親しい Heather は、私が主査として指導した最初の博士課程の学生だが、歳は私よりひとまわり以上も上だ。だから、Kyle が私と同い年だったとしても、それじたいはべつだん驚くことではない。それにしたって、まさか同じ学校の同じクラスにいたということはなかろう。

話にさっぱり乗ってこない私に、Kyle はさらに質問を浴びせた。

「六年生の担任の先生はだれだった?」

「えーっと、名前なんだったっけ……あ、そうだ、Miss Dino」

Kyle はさらに興奮して、手や上体を大きく動かしながら言う。

「ほら、やっぱり! Miss Dino でしょ? 僕も Miss Dino のクラスだったんだよ!」

「は? そんな馬鹿な。クラスに Kyle なんて子はいなかったよ。唯一いた日系人の子は、Mika Miyamoto だったもん」

「そうそう、Mika がいたけど、僕もいたんだよ! 覚えてないの?」

覚えていない。白人ばかりのクラスで、Mika Miyamoto のほかにも日系人がいたのなら覚えているはずだが、まったく記憶にない。

キョトンとしている私とは対照的に、Kyle は興奮とともにいろいろな記憶が蘇ってきたとみえて、つぎつぎに六年生のときのことを話しだした。

「マリの席は、教室の入り口のドアと反対側の壁沿いだったでしょ?」

記憶の奥からその教室を引っ張り出してみると、たしかにそのとおりだったが、いま隣に座っている大学院生の Kyle にそんなことを言われると、不思議を通り越して、気味が悪いくらいだ。

「そうだ、思い出した！　クラスで輪になってゲームをするときに、It がだれかをマリが当てる番になると、マリは必ず『Jimmy』って答えてたから、みんなで『マリはジミーのことが好きなんだ』って Jimmy をからかってたんだ」

そう言われてみると、そんなゲームをしたような記憶が、遠い意識の彼方から、ゆっくりと、ぼんやりと、浮かんでくる。そういえば「ジミー」という名前の男の子がいたような気もするが、どんな顔をしていたかはまるで思い出さない。だれかの名前を言わなければいけないときに私が「ジミー」と言ったのは、その子が好きだったとか印象的だったとかいうことではなく、覚えやすい名前だったからだろう。仮にKyleがほんとうにそのクラスにいたのだとしても、そんな名前は、英語のできない当時の私のボキャブラリーにはなかった。名前が覚えられなければ、その名前をもった人物を覚えていないのも不思議はないだろう。

などと理屈をつけて考えてみたものの、そこまで言われてもやはり、「Kyle」がクラスにいたとは信じられなかった。

「いや、でも、Kyleなんて名前の子はいなかった」

だんだんこちらもムキになって言い張った。

ゲームのとき私がだれの名前を言っていたかまで覚えているのに、自分の存在すらきっぱりと否定されたKyleは、それでもひるまなかった。さらにしばらく考えて、Kyleは言った。

「そうだ、それで、マリは、inari sushiの発表をした」

「………」

OOOOH　MYYYYY　GAWD!!!!!!!

＊

「inari sushi の発表」をしたのは、ミス・ダイノに特大のAをもらった頃だった。

その発表は、まさに一大事だった。

ひとりずつ指定された日に、なにかの作りかたを、じっさいにみんなの前でやって見せながら口頭で説明する、show and tell presentation が課題だった。英語が話せないのだからマリはやらなくてもいい、とミス・ダイノが言ってくれたにもかかわらず、わざわざ「やってみたい」と言い出して、やることにしたのだ。

どうせやるなら日本にちなんだものがよいだろうと思ったのだが、日本にちなんだものといっても、折り紙くらいにしておけば手っ取り早いところを、いなり寿司にしたのは、食べもののほうがみんなに喜ばれると思ったからだった。

英語が話せないのに、英語で十五分ほどの発表をするのだ。とうぜん、即興で作文はできない。そして、英語が話せないということは、英語が書けないということでもある。だからまずは、母の料理本を見ながら日本語で原稿を作り、それを母にひととおり英訳してもらい、それをミセス・ミヤモトに直してもらって、次にそれをミス・ダイノに見てもらって、原稿を仕上げた。そして、なにも見ずにその文章をすべて言えるようになるまで、ひたすら何十回と音読して、意味のわからない言葉をとにかく丸暗記した。

いなり寿司の作りかたをプレゼンするには、当日、ご飯や味付けした油揚げからお皿からなにまで、クラス全員ぶんを学校に持って行かなければならない。当時はまだ母親は車の運転ができなかったので、「山際さんの奥さん」にお願いして、いつもの赤いステーションワゴンで迎えに来てもらい、母親と一緒に材料を教室に運び込んだ。

じっさいの発表がどんなふうだったのかは、自分ではよく覚えていない。緊張のあまりせっかく覚えた内容を忘れてしまって話せなかったとか、一生懸命話したのにまるで通じなくて惨めだったとか、そういうことがあればトラウマになって覚えているだろうから、覚えていないということは、おおむね上手くいったのだろう。

ふだんはなにも言わずに押し黙っている日本人の転校生が、とつぜんみんなの前で、ペラペラとまではいかないにせよ、とにかく十五分間ほど英語で話しとおし、見たこともない食べものを配ったのだから、クラスのみんなには奇異の目で見られていただろう。甘いような酸っぱいような、妙ちきりんなものを食べさせられて、迷惑がっていた生徒もいたかもしれない。そんな反応を読み取るだけの理解力はなかったし、そんなことよりとにかく、自分が英語で発表をなし遂げた、クラスのほかの子たちと一緒の課題をこなしたという満足感でいっぱいで、みんなの反応などはどうでもよかった。

とてもよくできた発表だったとミス・ダイノに褒めてもらったのだけは、うっすらと覚えているが、それいらい、その発表のことを思い出すこともなかった。

＊

「あの inari sushi の発表は、クラスのほかの誰のよりもきちんと準備された発表だった」

ホノルルで、Jon Nakamatsu のコンサートの休憩時間に、隣に座っている大学院生の Kyle は、そう断言した。二十年以上昔のことなのに、まるで先週のことを話しているような口ぶりだ。

Kyle が人並み外れた記憶力の持ち主なのか、それともよほど私のいなり寿司の発表が印象的だったのかはよくわからないし、この期に及んでも、Kyle がクラスにいたということはやはり思い出さなかったが、いなり寿司の発表までもち出されれば、Kyle の記憶を信じないわけにはいかなかった。

思いもかけない過去のつながりを発見して、あまりの驚きに Kyle も私も呆然として、コンサートの後半は上の空だった。

その夜は、Ortega Elementary のうっすらとした記憶や、当時のできごとについての鮮明な記憶が、ごちゃごちゃに混じり合って脳裏をかけめぐり、よく眠れなかった。

翌朝、ラップトップを開くと、Kyleからのメールがあった。

件名ボックスには、ローマ字でshinjirarenaiと書かれている。本文にも、いかに驚いたかということ以外に、具体的なことは書いていなかった。それでもその後、数本のメールをやりとりしているうちに、過去と現在に散らばったいろいろな点が、だんだんと星座のようにつながって浮かびはじめた。

ピアノ・レッスン

言葉の通じない世界に放りこまれ、まったくの能無しになった私が自尊心を失ってしまわないようにと親が考えたのか、あるいは、そこまでの思慮はなく、単にそれまでせっせとやらせていたお稽古事をここでやめてしまうのはもったいないと思ったのかはわからないが、私はOrtega Elementaryに通い始めたのとほぼ同時に、父の会社の知り合いを通じて紹介された、ルース・カネコというピアノの先生のところに通うことになった。

うちから車で十分くらいのところに先生の家はあった。学校への道の途中で前を通るような一階建ての家で、外壁が深い臙脂《えんじ》色をしていた。そんな色をした家はそれまで見たことがなかった。周りの家と比べてとくべつに立派という訳ではないが、私にはとてつもなく大きな家に見えた。

やがて言われたとおりに「ルース」とファーストネームで呼ぶようになったその先生は、見るからに気さくな女性だった。年齢の見当がつかないのは相手が白人でも日系人でもあまり変わらなかったが、ルースとそのご主人のリッチには、中学生のジェニファーと高校生のジェフというふたりの子供がいた。

ミカやミセス・ミヤモトと同じく、ルースの一家は日系アメリカ人だった。幼い頃に収容所にいたということと、戦争が終わってから少しのあいだ日本に住んでいたことがあるという話を、親を通じて少し聞いたが、それがいったいどういうことなのかは、さっぱりわからなかった。収容所というのは戦争と関係があるらしいから、幼い頃に収容所にいたのならば、私の両親と同じくらいの年齢なのだろうということだけわかった。

少しは日本語が通じるという理由で紹介されたのだったが、じっさいにはミカ・ミヤモトと同様、ルースはほとんど日本語ができなかった。丸顔に大きな眼鏡をかけて、驚くほど太くまっすぐの黒髪に混じっている白髪を堂々とそのままにしたその風貌も、身体の使い方や話しぶりも、私が知っている日本人の女性とはまるっきり違った。

日本語が話せるミセス・ミヤモトも、だからといって日本人のようかというと、そうとは言えなかった。ミカ・ミヤモトと、ルースとその家族を合わせてサンプル数計六にして、私にとって「日系人」というものは、日本人とはまるっきり違う種族だという結論に落ち着いたが、その理解はその後サンプルが何十倍に増えてもそう変わることはなかった。

通じない言葉をルースが身振り手振りや歌で補って、レッスンはおこなわれた。日本のレッスンでは、先生が厚い表紙のノートに太い万年筆で、注意事項のまとめを毎週書いてくださっていた。先生の独特の筆跡も、インクが乾くまでペーパータオルをページの上に置いておくことも、すべてが厳粛な儀式の一部のようだった。

ルースのレッスンに行く前に、家の前の通りの向かいにあるドラッグストアで親に買ってもらった、ピンクの柔らかいプラスチックの表紙ノート——そんなノートは見たことがなかった——を持って行くと、ルースはそのページに鉛筆で細かい字で注意事項を書いてくれた。ルースの筆跡はミス・ダイノともミカとも全然違って、おとなが仕事をするときに使うような文字に見え、ルースが書いてくれたその文字を見ているだけで、私は言葉のできない子供ではなく、一人前の生徒として扱われているように感じた。

レッスンの最中に言われていることがわからないぶん、家に帰ってから私は辞書を引き引き、それを必死に読んだ。こうして、"do not rush"とか"sustain the melody line"とか"clear pedal"といった表現が、私の初歩英語の一部となっていった。

なにより面喰らったのは、ドレミがドレミでないことだった。アメリカでは音符に「ドレミ」ではなくアルファベットを使うと聞いてはいたものの、それがどういうことなのか、よくわかっていなかった。

小さい頃からピアノのレッスンに加えて聴音やソルフェージュのレッスンも受けていた私は、日本じゅうにいるほかの多くのピアノの生徒と同じように、絶対音感があった。ドの音を聞けば、それは、「ド」という人為的な名前がつけられた特定の音程としてではなく、その楽器が「ド〜〜〜」と言っているように聞こえていた。世界じゅうの人にもそう聞こえているのだと思っていた。だって、たしかに「ド〜〜〜」と言っているではないか。だから、移動ドだのなんだのというのは、説明されれば理屈はわかっても、実感としてまるで理解できなかった。ましてや、「ド〜〜〜」と言っているのにそれについて「C〜〜〜」と説明されると、とことん頭が混乱した。ピアノは「C〜〜〜」なんて言っていないのに、なんでCなんて呼ぶんだろう。

レッスンで、legato とか crescendo とか staccato とかいう単語が出てくれば、なにを言われているのか見当がつくが、ひとつひとつの音についてなにか指示されているときに、CとかGとかいった文字を言われても、それを頭のなかでドやソに変換するまでに、いちいち何秒もの時間がかかった。

日本のピアノ指導はテクニックにかんしては優れているという評判のとおり、ルースはこの年齢でこんなに弾けるなんて素晴らしいと褒めてくれた。そして、ショパンをまだ弾いたことがないのなら、ワルツからやりましょうと、お決まりの「子犬のワルツ」から始まって、「じゃあこれもやりましょう」と、次々と新しい曲を与えてくれた。

ひとつの作品を半年でも一年でもかけてひたすら詰め、発表会が終わると次の作品に移るという日本でのレッスンとは、まるで様子が違った。まだまだ弾けていないのが自分でもわかっている状態でも、さらにどんどんと新しい、しかも技術的にも音楽的にも十一歳の子供の領域を超えているとしか思えないような曲を、容赦なく渡された。

難しい課題を与えることで能力を伸ばそうとか、音楽性を広げようとかいった、大きな理念に基づいてそうしているとは思えなかった。ただそこに学ぶべき曲があるから、それをごくあたりまえに生徒に与えているだけのようだった。

半年くらいして、私のなかで「ルース」がRuthになっていった頃、「Mr. Pleshakov」に私のピアノを聴かせたいとRuthに言われた。

家が近いことに加えて、当時はまだ母親が車の運転をせず、父親に送り迎えを頼らなければいけなかったのとで、私は夜にRuthの自宅でレッスンを受けていたのだが、Ruthは「Mr. Pleshakov」という先生と一緒にPalo Altoにある音楽教室を共同経営していて、ほかの生徒はそこでレッスンを受けているのだという。「Mr. Pleshakov」は立派なプロのピアニストで、自分より高度な指導ができるから、毎週のレッスンに加えて月に一度「Mr. Pleshakov」にもレッスンを受けるとよいというのが、Ruthの説明だった。

「Mr. Pleshakov」は、上海生まれのロシア人亡命者だと聞いた。

「上海」も「ロシア」も「亡命」も、私にとっては小説か映画の世界のことのようで、それらの単語には漠然とした浪漫を感じたが、目の前で見る「Mr. Pleshakov」は、あまり浪漫を感じさせるような雰囲気ではなかった。「Mr. Pleshakov」は、背の低いRuthの倍ほどもありそうな体格をしていた。そのぷよっとした白い顔を見て私は、ほんとうに白い肌をした「白人」というものが世の中に存在するのだなあと感じ入りつつ、あまり人の肌をジロジロ見るのは失礼だろうと思い、見て見ぬふりをするのに必死だった。

Mr. Pleshakovは、Ruthが与えるものよりもさらに難しい曲を、次々に私に課した。日本で受けていたレッスンも、Ruthのレッスンも、それぞれ真剣ではあったが、私の年齢や技術的・精神的成熟度に応じた内容だった。しかしMr. Pleshakovは、私が十一歳の子供であることなどまるで念頭にないかのように、音楽そのものが要求することを私に要求した。

癖のあるロシア訛りの英語で、ときには私が弾く音に被せてとてつもなく大きな声で指示を出すので、最初は叱られているのかと思ってびっくりすると同時に怖くもあり、思わず弾く手が止まってしまったが、するとこんどは、Why do you stop? とほんとうに怒られた。大声を出すのは叱っているのではなく、ただ強調しているのだということ、乗ってくると興奮して声が大きくなるということが、しだいにわかった。

父の前回の駐在で住んでいたニューヨークがいたく気に入り、それに比べてカリフォルニアをはなから馬鹿にしていた母親は、はじめの頃、「プレシャコフさんは、そんなに立派な経歴を持ったピアニストなら、なんでこんなところに住んで子供を教えているのかしらね」などと、いかにもMr. Pleshakovが演奏家として大成しそこねて陽の降り注ぐこの土地に流浪してきたかのような言いかたをしていた。が、その母親も、「Pleshakov-Kaneko Music School」でのレッスンが終わって私が待合室に出てくると、「さすがにプレシャコフさんは、音階を弾くだけでもまるっきり音色が違うのが、壁越しでもわかるわね」と感心して言った。そのうち、自分の娘がロシア人の立派なピアニストにレッスンを受けていることを、自慢げにひとに話すようにすらなった。

夏になると、Mr. Pleshakov が自宅で pool party を開き、Ruth の家族はもちろん、ほかの生徒たちと一緒に私の一家も招かれた。このあたりでは庭にプールがある家はとくべつ珍しくないのは、その頃にはもうわかっていたものの、ピアノの先生の家でのパーティでプールに入るという状況がどうも想像できなかったので、水着を持って行かなかったが、到着してみるとほかの子供たちはもちろん、おとなもみんな、プールに出たり入ったりを繰り返している。pool party というのは、言葉どおりの意味だった。

そのパーティで初めて会った Mr. Pleshakov の奥さんは、Mr. Pleshakov よりもさらに強い訛りの英語を話す、気の強そうな女性だった。レッスンのときには大声をあげて指示を出す威厳ある芸術家の Mr. Pleshakov が、奥さんの尻に敷かれているのが明らかで、指示されるままにベンチを運んだり、Ruth のだんな様の Rich が手慣れた手つきでバーベキューをする隣でぎこちない調子でハンバーガーの肉をひっくり返したりしている様子が、子供の目にも滑稽でもあり、やや気の毒でもあった。

この夫妻がどのような経緯で Palo Alto に居を構えることになったのか興味を持つよう

になったのは、Mr. Pleshakov とのつながりがなくなって数十年もしてからだった。

しばらくすると、Mr. Pleshakov のレッスンに加えて、こんどは theory and composition のレッスンも受けたほうがよいと、Ruth と Mr. Pleshakov のふたりに勧められた。それがいったいどんなレッスンなのかはよくわからなかったが、日本では聴音とソルフェージュのレッスンにも通っていたと Ruth に説明してあったので、それを発展させたようなものかしら、などと母親は言って、私は言われるがままにそのレッスンを受けることになった。

Pleshakov-Kaneko Music School でパートタイムで教えているという、Ruth や Mr. Pleshakov よりはずっと若い Scott という男の先生が、隔週、私のピアノのレッスンの前に Ruth の家まで来てくれることになった。

クラシックのトレーニングを受けてはいるが、ジャズを弾いたり作曲をしたりもするのだという Scott のレッスンでは、バッハのインベンションの分析や、和音展開の簡単な練習をした。楽器が「ド〜〜〜」とか「ラ〜〜〜」とか言っているように聞こえていた私にとっては、転調の練習は苦痛だった。Scott が作った簡単なメロディをテーマにして短い曲を作る練習は、楽しくはあったが得意ではないのが、自分でもすぐにわかった。

英語でだいぶ会話ができるようになった頃のことだった。

Scott のレッスンがあるはずの日に Ruth の家に行くと、「急なことで事前に連絡できなかったのだけど、Scott は緊急なことがあって今日はレッスンに来られなくなったの。だからピアノのレッスンだけしましょう」と言われた。レッスンが終わったあとで聞くと、Scott は親しい友達が亡くなって、とても衝撃を受けているとのことだった。どうやら自殺だったらしいとだけ言って、それ以上は Ruth も知らないのか、知っていても子供の私に言うことではないと判断したのか、詳しくは話さなかった。

二週間後に Scott のレッスンは再開された。気遣いの言葉をかけようと思ったのだろう、母が、We heard that you lost a friend. と言った。

あとから考えれば、気遣いの言葉としては、きわめてまっとうな表現だった。しかし、そのひとことで、Scott は肩を震わせて泣きだしてしまった。

おとなの男性が自分のすぐ目の前で泣く姿を、私は見たことがなかった。どうしていいものかわからず、その当惑は、「なんでそんな無神経なことを言うんだ」と母親への怒りに変換されたが、その場で母親に怒りをぶつけることもできない。目のやり場に困り、なにも言えずにScott の横に座っているしかなかった。

しばらくして泣き止んだScott は、It was so sudden. And so tragic. とだけ言って、和声の練習を続けた。

Scott のことは好きだったし、あのレッスンをもっとしっかり続けていれば自分のピアノや音楽との関係はもっと違ったものになっていたかもしれない。が、どういう経緯だったのか覚えていないが、Scott とのレッスンは長くは続かなかった。

これもずっとあとになって、Scott が同性愛者であったということ、亡くなった友達というのはもしかしたら彼の恋人だったのかも知れないということ、その自殺の理由は同性愛者であることについての苦悩が原因だったのかも知れないということなどが、断片的に頭のなかでつながった。

比較的寛容な文化のカリフォルニアであったが、レーガン政権が誕生した時代で、family values というものがやたらと謳われるようになり、同性愛者にはけっして暮らしやすい世の中ではなかったのだということも、ずっとあとになって理解した。

ハイウェイの向こう側

三か月近くもある長い夏休みのあいだ、アメリカ人の子供たちの多くはcampに行く。藤倉さんの奥さんが、そう教えてくれた。campとはいっても、山に行ってテントを張って飯盒でご飯を食べるといった、日本でいう「キャンプ」とは違って、じっさいにヨセミテ国立公園で山登りをするようなcampから、近場で水泳やテニスの特訓を受けたり、毎日理科の実験をしたりあるいは絵を描いたりするものまで、要はあらゆる合宿がすべてcampと呼ばれるようだった。day campといって、泊まらずに毎日通う形式のものもあるらしい。

Ortega Elementaryでの永遠とも思える日々がようやく終わり、夏休みに入ったものの、そのcampとやらに私を送り込むような知識も財力も、私の親にはなかった。かといって、三か月ものあいだ、十二歳の子供を家でじっとさせておくわけにもいかない。秋学期から通うことになるCollins Junior High Schoolでsummer schoolが開講されるという情報を親が聞きつけて、私はそこに通うことになった。

この頃までには、だいぶ英語ができるようになっていた。授業のすべてが理解できるわけではもちろんなかったが、知らない単語を辞書で調べれば、学校で読む文章はだいたい理解できるようになった。だれとも会話せずに一日じゅう隅でぽつねんとしているようなこともなくなった。Miss Dinoのクラスからも、Ortega Elementaryのほかのクラスからも、顔を知った生徒はほとんどsummer schoolには来ていないようだったが、私にはそれがむしろありがたかった。

summer schoolでは、CookingとTypingとSocial Studiesの授業をとった。Cookingの授業で最初に作ったのは、pig in a blanketといって、ソーセージをパン生地のようなもので巻いてオーブンで焼くものだった。生地はすでに用意されていたものを使うので、私たちがする作業は、それでソーセージを巻いてオーブンに入れることだけだった。そのほかにも、その夏に授業で作ったのは、日本であれば料理とはとても呼ばないようなものばかりだったが、それでもほかの生徒たちとキャアキャア言いながらどうにか食べられるものを作るのは、単純に楽しかった。

「Typing の教室には、キーボードの図がかけられた黒板を前に、タイプライターのある机が二十ほど並んでいた。

はじめはうるさく感じたガチャガチャという打鍵や改行の「ディーン」という音も、自分が打つようになると、なんだか心地よく感じられるようになった。aaaaa、ooooo、ttttt から始まって、totototo、atatatat、didididi そして dot dot dot dot dot、mis mis mis mis など と、意味のない文字の列を打ちながら、タイプライターという機械を媒体にしてアルファベットに向き合っていると、まわりに座っているアメリカ人の生徒たちと自分のあいだの違いが消えるような気がした。

徐々に単語や文を打つようになる頃には、ピアノを熱心にやっていたおかげで、私はほかの生徒よりもずっと速く正確にタイプができるようになっていた。自分が打っている単語や文の意味を理解していなくても、アメリカ人よりも速くタイプができるのが、不思議でもあり、得意でもあった。

Social Studies の授業では、summer school のあいだずっと、秋に控えた大統領選についての勉強をした。金髪が白髪に変わりつつある、丸顔にメガネの Mr. Burns が毎日あれこれ話をするだけでなく、生徒たちもどんどん意見を言うことが求められた。

簡単な会話ならできるようになっていたとはいえ、大統領選の話をじゅうぶん理解したりそれに参加したりできるだけの英語力は、私にはまだなかった。

もしかすると、とても偏った話だったのかもしれないし、あるいは、多面的にものごとを考えさせる高度な授業だったのかもしれない。ただ、小学校を出たばかりの生徒たちが、よくこんなに大統領選についてペラペラと意見を述べるものだと、ひたすら感心した。そして、現在の社会で起こっていることをひと夏かけて授業で扱うという Mr. Burns の教育思想に、子供ながらに感服もした。

＊

長い夏休みが明けて、Collins での正規の中学生生活が始まった。

Ortega Elementary でも、同い年とは思えないようなおとなびた格好をしていた生徒が多かったが、数か月姿を見ないだけで、同い年の女子生徒たちの多くは、十二歳とは思えない色気を漂わせるようになっていた。男子も、ひと夏で大きく背が伸びたり声変わりしたりして、なにか別の生物に変身しているように見えた。キャンパスのなかで、男女が手をつなぐだけでなく、腰に手を回して歩いたりキスをしたりという光景が、あちこちで見られた。

バックパックに教科書や筆箱やお弁当を入れ、さらにノートとして使う大きなバインダーを手に抱えて歩くのがお決まりとなっていた。そして、中学生活が始まって一年もしないうちに、女子の多くはバックパックのかわりにハンドバッグを持ち歩くようになった。そこに化粧品やら生理用品やらペンやら財布やらなにやらをたくさん入れて、学校に通うのだ。LeSportsacというブランドのバッグをみんな持っているのを知り、ショッピングセンターでその売り場を見つけ、私も親にベージュの小さなハンドバッグを買ってもらった。そしてみんなの真似をして、同じような格好をして、同じような姿勢で歩いた。

Ortegaの生徒はほぼ全員Collinsにあがったから、とうぜん顔見知りもいたが、中学のほうがずっと大きな学区をカバーしており、人数が多く、知らないものどうしのほうが多かった。私は「英語ができないマリ」という過去を後にして、新しい自分の人生を生きることができた。

じっさい、中学での生活が始まってからは、友達もできて楽しい毎日だった。最初の頃は、Ortegaから一緒にバスに乗ってＥＳＬに通っていたJudithとロッカーの場所が近かったこともあって、昼休みには一緒に座っていたが、じきにそれぞれ別の友達の輪ができて、いつの間にかJudithとはほとんど話さなくなっていた。

まわりを観察していても、仲良しグループは数か月ごとくらいのペースで移り変わりがあった。大親友のようにべったりしていた生徒どうしが、ふと気がつくとまるで話さなくなっていたり、人気者と思われていた生徒が、いつもランチを一緒に食べていたグループからある日ふと姿を消して、離れたところでひとりで座っていたり、別の子とふたりでいたりするといった光景をよく見た。だから自分の仲良しが変わっていくのも、ごくしぜんのことに感じられた。

日本の中学とくらべるとずっと科目数が少なく、しかもそのうちのいくつかは選択科目だから、必修の科目はさらに少なく、Englishつまり国語、数学、歴史、理科、そして体育だけだった。

七年生のときは、Englishの授業でよく、sentence diagramをやらされた。文の構造を正確に理解するために、与えられたセンテンスを単語や句や節に分けて、それらの相関関係を図にする。その図は、幹からいくつもの枝が分かれたような柄になるので、sentence treeと呼ばれることもあるようだった。

ついこのあいだまでまるで英語を理解していなかったわりには、私はこれが得意だった。主語と動詞と目的語を見極め、さらに、どの装飾語句がどの単語にどうかかっているかを図にするのはなんだか愉快で、与えられる文が長く複雑になればなるほど面白かった。それでもしばらくすると、文の意味と無関係に、機械的に言葉と言葉の関係を図にする作業が退屈に思えてきた。

八年生になると、English の先生は Mrs. Chestnutt だった。

今学期は research paper の書きかたを勉強します。みなさんが好きなトピックを選びます。English の授業だからといって文学系のトピックである必要はなく、身体にかんすることでも地球にかんすることでも特定の人物にかんすることでも社会問題にかんすることでも、なんでもいいです。そして学期の終わりには、できあがった research paper を、みなさんが自分で綺麗な本の形にします。——初日に、Mrs. Chestnutt はそう言った。

私はうれしくなった。小さいときから『あしながおじさん』や『若草物語』を繰り返し読んで、作家志望のジュディやジョーに共感し、「本を書く」ことに憧れていたのだった。親が使わなくなったノートをもらって、白紙のページを切り取り、二つ折りにして、母に針と糸で真ん中を綴じてもらって、そこに物語を書いたりしていたのを思い出した。こんどは王様とお姫様が出てくる子供じみた作り話ではなく、自分で調べてまとめたことを、本の形にするのだ。

Research paper を書くには、まずは「問い」を設定するのだと教わった。どんな分野のどんな種類の問いでもよい。ただしその「問い」は、きちんと資料やデータを集められるものであり、そして、最終的になんらかの答えを出すことのできるものでなくてはいけない。しつこくそう言われた。みんなあれこれと考えて、なんどもアイデアを Mrs. Chestnutt に提出し、まずはその「問い」にＯＫをもらうだけで、一か月近くかかった。

そして驚いたのは、その次のステップだった。やっと立てた「問い」を解明するためにリサーチに取りかかるのではなく、まず仮の thesis を作るのだという。論旨、つまり「問い」への答えである。この仮説を作った上でリサーチをし、自分が立てた論が正しいかどうかを検証するというのだ。

この頃までには学校生活にも溶けこみ、成績も良く、大胆になっていた私は、授業中に手を挙げて、Mrs. Chestnutt に質問した。

「いくら仮のものだといっても、リサーチをしてみないで、どうやって thesis が作れるんですか」

それはとてもよい質問で、Mariの言うとおりです、ただし、みんなは自分の「問い」を立てた時点で、なんらかの仮説が頭のどこかにあったはずです、そうでなければそもそもその疑問が思い浮かばなかったはずです、だから、そのぼんやりとした仮説を簡潔な文章にまとめてみて、それがほんとうかどうかをリサーチするのです――というのがMrs. Chestnuttの答えだった。納得がいくような、いかないような気持ちがしたが、とにかくなんらかのthesisを作って提出した。これにみんながＯＫをもらうまでにも、一、二週間かかった。

それから一か月ほど、毎日Englishの時間には、いつもの教室ではなく、Mrs. Chestnuttと一緒にクラス全員で図書館に行って、その一角で授業がおこなわれた。まずは百科事典あたりから始めて、答えが見つかるような資料をどうやって探したらいいかを教わり、みんなせっせとリサーチに励んだ。もちろん、公立中学校の図書館に入っているような資料はきわめて限られているので、生徒はそれぞれ、公立図書館に行ってさらなるリサーチをすることも要求された。調べた情報を小さな長方形のindex cardに書くことも、そのindex cardに出典を必ず書いておくことも教わった。参考文献一覧の作りかたも習った。

それが終わると、授業はいつもの教室に戻り、書きためて小さな黄色い長方形のプラスチックケースに入れた index card を整理して、どのように論や文章を組み立てていくかを、各々考えさせられた。ひとつのパラグラフではひとつのポイントだけを論じることも、それぞれのパラグラフは論点を要約した topic sentence と呼ばれる簡潔な文で始めることも教わった。パラグラフとパラグラフの関係が明瞭になるために、ⅠⅡⅢ、ＡＢＣ、１２３、ａｂｃと情報や論点の大小を区分して、全体のアウトラインを作る方法も教わった。そしてやっと、Mrs. Chestnutt にＯＫをもらったアウトラインに沿って、それぞれが文章を書き、脚注を入れて、さらに全体を推敲して校正して、完成原稿ができあがった。

そしてこんどは、原稿を letter size 半分の紙面に double space でタイプすると全部で何ページになるかを計算し、必要な枚数のタイプ用紙をふたつに折って、どのページにどの文章が入るかをレイアウトし、緊張しながらいよいよ文章をタイプし、子供のときに母にしてもらったように、折り目に錐《きり》で小さな穴を開けて、針と糸で綴じた。それから、まん中にのりしろのついた厚紙がみんなに配られ、綴じた原稿をそれに差しこんで「製本」した。さらにご丁寧なことに、みんなそれに、好きな布を貼った。角の部分をどうやって折るかもちゃんと教わった。最後に、タイトルと著者名を書いた紙を布用ノリで表紙に貼って、research paper のできあがりとなった。

四か月近くかけての、一大作業だった。

クラス全員、それぞれてんでばらばらの「問い」や論旨に取り組んで、自分のresearch paperを完成させたのだった。できあがったときにはとてもうれしく、私はなんどもなんども、茶系のチェックの模様の布を貼った表紙を撫でた。

中学生のときに、research paperを書く手順を、ああやって手取り足取り教わったこと、そして、あの作業をほかでもないEnglishの授業で学んだということの意味も、自分が学問をするようになって、そして論文の書きかたを教える立場になってから、理解するようになった。

あのとき論証したthesisがなんであったのかは、忘れてしまった。でも、自分が立てた「問い」は、いまでもよく覚えている。

How did Vienna become the classical music center of the world?

Collinsで必修科目のほかに私がとっていたのは、BandとChorusだった。フランス語やJournalismなど、魅力的な響きの選択科目はほかにもあったのだが、まだ英語力がじゅうぶんとは言えない私がさらに別の言語を勉強するのもお門違いだろうし、Journalism

などという単語にふさわしい文章が書けるとは思われなかった。小さいときからピアノを熱心にやっているのだから、音楽であればほかの生徒たちと対等にやっていけるだろう——という、単純な発想だった。

ただし、Band にピアノはない。Band といっても、ロックバンドのようなものではなく、要は吹奏楽団だったが、それに入っている楽器のひとつを選ばなくてはならなかった。私は、コンサートで前列に座るフルートを選んだ。

Chorus のクラスでは、一学年上の Lilly と仲良くなった。

私とひとつしか歳が違わないのに、Lilly は高校生を飛び越して、大学生、いやそれよりさらに年上に見える服装や身のこなしだった。ミカ・ミヤモトや、ミカがいつも一緒につるんでいた白人の女の子たちがプンプンと発していた色気とは違って、颯爽と仕事をするおとなの女性のようで、それは容貌だけでなく、英語の筆跡にもあらわれていた。豪快な書道のような、シュッと伸びのある文字だった。

毎日クラスで顔を合わせるのに、そこでしゃべるだけでは飽き足らず、ルーズリーフ用紙で交換日記のように手紙をやりとりするようになったので、Lilly の筆跡は私の目にも脳にもくっきりと焼きついた。Lilly のラストネームの Huang は、漢字では「黄」と書くのだと教えてもらった。Lilly が小さい頃に家族で台湾から移民してきたこと、ずいぶん年齢の離れたお兄さんはエンジニアだということも聞いた。台湾と中国の関係がわかっていなかった私に、Lilly は丁寧に説明もしてくれた。

Chorus では Lilly のほかに、同じく一学年上の男女一組が、私のことをなぜか可愛がってくれた。茶色い髪を長く伸ばして不良っぽい格好をしているものの、ほんものの不良ではないのが顔の表情や話しかたから伝わってくる、ハンサムな Brad という男子と、どうやらそのガールフレンドらしい、これまた長い茶色の髪をした背の高い Lisa という女子が、なぜ私のことを気に入ってくれたのかは謎だったが、彼らが私にやさしくしてくれているというだけで、Chorus のクラスだけでなく学校全体で、私の地位はずいぶんと上がったようだった。

学期の終わりには、Band と Chorus それぞれのコンサートが別の週の夜に予定されていて、授業ではそのための練習に専念した。

両方のクラスを担当していた Mr. Fullerton が、私がピアノを弾くとどこからか聞きつけて、まず Band のコンサートでピアノを演奏しないかと提案してきた。Band の一部としてピアノを弾けということなのかと思ったが、そうではなく、私のソロのピアノ演奏をプログラムに入れようということらしい。学校の授業やクラブ活動でピアノをやっているわけでもないのに、なぜ私が学校の Band のコンサートでソロのピアノ演奏をするのかよくわからなかったが、せっかく演奏の機会をもらえるのだからと、プログラムの中盤でショパンのワルツを演奏した。

講堂兼カフェテリアでのコンサートが終わると、聴きにきていた生徒たちやその親や、ほかのクラスの先生たちが大勢、私のまわりに集まって、素晴らしかったと褒めてくれた。日本では、私ていどにピアノを弾く同年代の子供はいくらでもいたが、こちらではピアノを習っている生徒そのものがずっと少なく、このくらいでもおおいに注目を集めるのだった。その日の演奏のできばえはまあまあだったと自分でも思ったし、親にも「よく弾けてたわね」と言われたが、ショパンのワルツを弾いただけでまるで天才のように褒められるのが、恥ずかしくもあり面映ゆくもあった。

同じことを繰り返すのでは芸がないと思ったのだろうか、Mr. Fullerton は、Chorus のコンサートではピアノではなく、フルートを演奏するようにと提案した。ピアノ伴奏にフルートのソロとソプラノのソロがつくコーラス曲があるので、それをプログラムに入れるというのだ。ピアノ伴奏は Mr. Fullerton で、ソプラノのソロを歌うのは Lilly だった。Lilly はとても歌が上手く、とくべつなレッスンを受けたことがないというのが信じられないほど立派な声量で堂々と歌う姿を見て、私からもクラスのみんなからも尊敬を集めていた。

これも夜におこなわれたコンサートで、Brad と Lisa とその他二十人ほどの生徒たちを背後に、私は Lilly とふたりで前に出て、Mr. Fullerton の伴奏とみんなの歌をバックに、カフェテリアいっぱいの観客を前にソロ演奏をさせてもらった。

*

Collins に通いはじめの頃、私は Rochelle とよく一緒にいた。

私たち家族と同じ townhouse に住んでいて、Ortega Elementary の Miss Dino のクラスで一緒だった Rochelle は、なにもわからない私をほかの生徒が馬鹿にしたりいじめたりするのを尻目に、いつもやさしく接してくれていた。townhouse から Collins は、Ortega とは逆方向の南側にあり、それほどの距離ではないものの、高架道路を通ってハイウェイを越えた向こう側に行かなければいけない。私の母親は、アメリカに到着して半年ほどしてやっと運転免許を取り、父親が毎日通勤に使う車とは別にマツダの小さな中古車を買って、近場であれば自分で運転するようになっていた。私が中学にあがると、その母親の運転で、まずRochelleをピックアップしてから学校に通うようになった。

Rochelleは、お母さんとふたりで住んでいた。両親はしばらく前に離婚して、お父さんはどこか遠くに住んでいるらしい。お母さんはRochelleが学校に行く前に家を出て仕事に行かなければいけないので、Rochelleが私と一緒に通学できるのを感謝していた。

学校の行き帰りを一緒にするだけでなく、私はなんどかRochelleの家に遊びにも行った。townhouseゆえ、つくりは我が家とまったく同じだったが、なかに一歩入るとそこはまるで別世界だった。ダイニングテーブルの上にはなにやら書類のようなものが堆《うずたか》く積まれ、床にも大小さまざまなものが転がっている。ソファも洋服やらなにやらいっぱいで、ろくに座る場所もない。キッチンも、ここで料理がなされているとはとても想像できないほど、食器やそれ以外のものが山積みだった。家の向きからすれば、日当たりは私の家よりむしろいいはずなのに、なんだかいつも薄暗いのは、もので光が遮られているからなのか、それとも、カーテンやランプの傘が汚れているからなのだろうか。

「片付けなくちゃいけないけど忙しくてって、ママ、いつも言ってる」

私が行くたびに、Rochelleは恥ずかしそうに言っていたが、いつ行っても、片付くどころか、前よりさらにものが増えて、散らかっているように見えた。文字どおり足の踏み場もないようなこの空間で、母娘はどんな生活をしているのだろう。
夕方になるとお母さんが帰ってきて、私の姿を見ると、「散らかっていてごめんね」と言いながら、煙草に火をつけ、フーッと煙を吐く。私の母もヘビースモーカーだったが、Rochelleのお母さんの豪快な吸いかたを見ると、それは同じ「煙草」という単語で呼べるものではないように思えた。家事能力は明らかに欠如していたが、大柄な身体でガラガラ声をしたRochelleのお母さんが温かい人であるのは、私にもわかった。
Rochelleは Jewish だという。それがなにを意味しているのか、私にはよくわからなかったが、Rochelleはなにかにつけて自分がJewishであることを口にしていたので、彼女にとってそれがたいせつなことなのだということは感じとった。bat mizvah という重要な儀式に向けて一生懸命準備しているところで、儀式の当日には、ふだんは電話でしか話をしていないお父さんや、遠いところに住んでいる他の親戚も、みんな集まってくるのだと、熱心に説明してくれた。
そのbat mizvahに、Rochelleは私も招待してくれた。私は両親と一緒に出かけた。シナゴーグという場所に行ったのはもちろんはじめてだった。日本でなんどか行ったことのあるキリスト教会とは少し空気が違うし、そこに集まっているひとたちも、学校でのほかのアメリカ人の友達とはなんとなく雰囲気が違う。でもなにがどう違うのかは、よくわからない。まわりのひとたちの見よう見まねで、立ったり座ったりを繰り返し、お祈りや歌の最中には、黙ってキョロキョロあたりを見まわした。なにが起こっているのかわからないので、なおのこと長時間に感じられる。ひととおりの儀式が終わると、たくさんのひとたちに囲まれ祝福を受け、Rochelle本人もお母さんも、心からうれしそうだった。

「なんだかわかんないけど、立ったり座ったり忙しかったなあ」

帰りの車を運転しながら、父は苦笑していた。

親族一同が集まる人生の大きな儀式に出席させてもらったのにもかかわらず、私はしだいにRochelleから離れていった。

朝、迎えに行って、玄関のベルを鳴らしてからしばらくたっても、Rochelleが出てこないことがしょっちゅうあった。いったんドアを開けて、「ごめん、いま支度してるから、ちょっと待ってて」と言ってから家のなかに戻り、なにをしているのか知らないが、長いこと出てこない。始業時間に遅れるのではないかと私がハラハラする以上に、エンジンをかけたまま車で待っている、せっかちな性格の私の母親がイライラを露《あら》わにし、「遅くなってごめんなさい」と言って乗り込んでくるRochelleに対してあからさまに嫌な顔をするのを、あいだで取りつくろわなければいけないのが面倒だった。

そして私は、英語力が向上するにつれてだんだん、Rochelleの話す内容の単純さに気がつくようになった。そしてRochelleのなんだかトロい様子に気が障るようになった。Ortega Elementaryの段階ですでに、Rochelleは算数では下のクラスにいたようだったが、Collinsにあがると、Rochelleと私は同じ授業がひとつしかなかった。そう考えてみると、朝の支度が遅かったのも、頭の回転となにか関係するように思えてきた。

学年の前期と後期で、正規科目の成績と選択科目によってクラス替えがあり、各生徒の毎日の時間割も全面的に変わる。あからさまにレベルが表示されているわけではないが、それぞれの顔ぶれを見れば、どのクラスが上級クラスなのかは一目瞭然だった。英語の上達にともなって、七年生の後半になると、私はすべての科目で一番上のクラスになったようだった。

学力でクラスが分かれているということは、学力がかなりの度合いで交友関係を形成することを意味した。知らずしらずのうちに、Collinsでの私の仲良しは、いわゆる優等生のグループになっていた。Kathy Chang. Stacy Tsuboi. Andrea Puschendorf. Vivian

Kuo. Cathy Garrity. Tracy Fukui. Helen Koh. Marianna Niu. Linh Nguyen. しぜんとそういう女の子たちとランチを一緒に食べるようになった頃には、Rochelle の姿は私の生活からは消え、気がついてみると、一緒に通学することもなくなっていた。どうしてそうなったのか、そのあと Rochelle がどうやってあの高架道路を通って学校に通ったのか、気に留めることすらなかった。

こちら側の人間

自分がそれなりに英語を解するようになると、アメリカに来たばかりの頃は親が英語で用を足すのを見ていたく感心したのをすっかり忘れて、私は両親の英語を心底ばかにするようになっていった。

両親は、高校生の頃に若者向けの英語学習雑誌のペンパル募集欄を通じて知り合ったくらいだから、かつては熱心に英語を勉強していたらしく、じっさいのところ、多くの日本人駐在員とくらべると、父の英語はわりとまともなほうだった。それでも私は、ときおり連れられていくレストランやパーティの場で、父の会社のおじさんたちが英語を話しているのを聞くと、この人たちはいったいどうやってこのアメリカで仕事をしているのだろう、こんな英語でも製品を売り込めるということは、噂どおり日本の技術力は相当なものなのだろうなどと、子供ながらに考えた。

母はとりわけ優秀というわけではなかった——と私は叔母に聞いた——が、それなりに恵まれた育ちゆえ、私立の女子大で英文学を専攻した。その大学では卒業年次に学生が全員でシェイクスピアの作品を原語で上演するのが伝統なのだと母が自慢げに話すのを、私は子供の頃から聞いていた。ずっとあとになってから、どの作品のなんの役をやったのかと訊くと、返ってきた答えは「私たちの学年は『オセロ』だったけど、私は衣装係だったから役にはついてない」というもので、家政科もある女子大でなぜ英文科の学生が衣装を作るのか、じつは落ちこぼれていたのではないかという思いが浮かんだが、それはともかくとして、山際さんの奥さんの車に乗せてもらっておとな用のＥＳＬのクラスに通うようになった母は、テストの結果、一番上のクラスに入れられたらしい。

それでも、見栄はりな性格の母は、わからなかったり間違えたりして恥ずかしい思いをするのを避けるため、できるだけ英語での会話を避けた。私が英語で用を足せるようになると、電話が鳴るたびに私に対応を命じて、自分は二階に逃げていくのだった。私は、I'm sorry, my parents are not home right now. とか My parents don't speak English. とかなんとか言って、相手の返事を待たずに電話を切ることをおぼえた。

母は、ようやく運転免許を取り、マツダの中古車を買ってからも、高速道路に乗ったり遠出をしたりするのを怖がったため、出かけるといえば、家から車で数分のVallco Shopping Centerだった。とくべつ素敵なモールではなかったが、より高級感のあるショッピングセンターは母の運転能力の範囲外にしかなかった。そんなわけで、Vallcoにあるお店については、私も知り尽くした。学校でみんなが持っているLeSportsacのハンドバッグや、流行りのChemin de Ferのジーンズを買ってもらったのもVallcoだった。

あるとき、キッチン用品店を出て通路を歩いていると、三階まで吹き抜けになった小さな広場のようなエリアの左手にある可動式のブースで、額入りの小さな絵が売られていた。手持ち無沙汰な様子で立っている男のひとが、こちらを見てニッコリして、どうぞご覧くださいと合図をする。

ふだん母は、そんなブースで売られている商品には興味を示さないし、英語での会話も避けたいので、そんな誘いは気づかないふりをして通り過ぎる。だがなぜかこの日は、誘われるままにブースに近づいていった。

パネルに掛かっていた絵はどれも、サンフランシスコの風景だった。お馴染みの

Golden Gate Bridge。オモチャの乗り物のようなケーブルカー。くねくねした細い車道の両側に色とりどりの花が満開のLombard Street。母はにっこりした表情でそれらに見入り、私のほうを向いて、めずらしく素直な口調で言った。

「いいわねえ」

とくべついいとも思わなかったが、私はうんと返事をした。

よく見ると、掛かっているのは水彩画や油絵ではなかった。お兄さんともおじさんとも形容しがたいその男のひとは、私たちに英語が通じるかどうかを見はからっていたのだろうが、母が興味を示しているのを見てとると、張りきって話しはじめた。

これはetchingというもので、地元のアーティストの作品だという。額のひとつをパネルから外して裏返し、薄い板の下のほうにあるアーティストのサインを、ほら、と見せてくれた。そして、レジの置かれた台の下の引き出しから、小さな金属の板と、歯医者が使うような針を取り出して、etchingの基本的な工程を説明しはじめた。

木ではなく金属のプレートを使うのだが、工程じたいは浮世絵のようなものだと言いながら、私たちの顔を見る。ukiyo-eという単語は、たいていのアメリカ人の口にかかると、いったいなにを言っているのかさっぱりわからないのが常だったが、この男のひとは、

「ウーキョーエ」とそれなりに正しく発音したのは感心だった。

　母は頷きながらその説明を聞き、Ah, I see. とか Oh, yes. などと相槌をうっている。Oh, you know ukiyo-e? と、質問のようでもあり、褒め言葉のようでもある受け応えまでしている。見知らぬアメリカ人を相手に母がこれだけ言葉を交わすのを、私は見たことがなかった。

　パネルにかかった十点ほどの etching を、母はさらに見入った。冷やかしのウインドーショッピングの域を明らかに超えている。なぜとつぜんこうしたものに興味を示したのかはわからないが、これだけのあいだじっと立ってこの男のひとの話を聞いていたら、なにも買わずに立ち去るのは気まずいのではと、子供心に気になった。

　しばらくして、母はまた私のほうを向いて言った。

「買おうか?」

　ノーと言う理由もべつだん思いつかなかった。

「どれがいい?」

　私は目の前のエッチングをしばし見くらべて、「これ、と、これ」と、二枚を指差した。

　そうね、と母はその二枚をさらに眺め、男のひとの顔を見ながら Lombard Street のほうを指差して言った。

This one, please.

母はハンドバッグからクレジットカードを取り出した。日本のデパートで母がクレジットカードを使うのは見たことがあったが、カリフォルニアに来てからはめったにないことだった。

男のひとは、etchingを手際良く厚い茶色の紙に包み、ざらざらの白いテープで留めてくれた。あんたが持ちなさいと母が私に合図するのを見て、男のひとはHere you go, young lady. と、その包みを私に手渡した。

Thank you very much! Have a nice afternoon! Sayonara!

JC Penneyに向かっていく私たちにやさしく手を振る男のひとの「サーヨナーラ」は、さっき聞いた「ウーキヨーエ」と同じ抑揚だった。

家に帰ると、母はそのetchingを暖炉の上に飾った。これまでキッチン・カウンターに置いた電話の側に画鋲で留められていた、富士山や金閣寺の写真のＪＡＬのカレンダー以外は、壁にはなにもなく、ただのっぺりと白く広がるだけだったのが、その小さな一か所だけ、わずかな彩りを帯びた。

＊

Lombard Street の etching を買ってからそうたたない頃、母といつものように近所のスーパーに行った。

父に連れられてはじめてこの巨大なスーパーにやってきたとき、私にとってなにより印象的だったのは、果物売り場にある巨大なジュース搾り機だった。

私の背よりずっと大きな機械の上半分の透明なケースいっぱいに、「橙色」とはこのことかと再発見するほど、鮮やかな色のオレンジが詰まっている。それが自動で次々と下に降りていき、どういう仕組みになっているのだか、ジジジーっという音とともに、次々に下のベルトに出てくるプラスチックのボトルにジュースが絞り出されてくる。あたりいっぱいに甘い匂いが漂っている。私は立ち止まってその機械をじっと見入ったものだった。

日本のデパートの地下食料売り場の隅にあるジュース搾り機は見たことがあったが、注文に応じてひとりぶんのジュースがコップで出てくるのとは違って、この機械からは未来永劫、いつまでもオレンジジュースが搾り出されるのではないかという気がした。鮮やかな丸い果物が次々とボトルに入ったジュースに変身しても、オレンジの山はいっこうに減らないように見えた。

そんなことを思っていたのは、ほんの一年ほど前でしかなかったが、十年くらい昔のように感じられた。私はもうジュース搾り機には感動しなかった。そのかわり、母に対して、自分でも説明できない、しかし耐えがたい苛立ちを、身体じゅうで感じていた。

買い物の最中、ちょっとバニラエッセンスを探してきて、と母が私に言った。

「日本語でしゃべらないでよ！」

私は反射的に言い放った。理不尽に冷たい口調なのが自分でもわかった。

こんどは母が私に苛立つ番だった。

「なによあんた、日本語でしゃべらないでよって？」

「日本語でしゃべらないでって、言ってるでしょ！　なんで日本語でしゃべるのよ！」

「どうして日本語でしゃべっちゃいけないのよ？」

「恥ずかしいじゃない！」

私は不機嫌の絶頂だった。

「どうして日本語が恥ずかしいのよ？」

母も不機嫌になった。

日本語を話すのが恥ずかしいと言う私に、母が怒るのは当然だということは、頭ではわかっていた。でもその瞬間は、スーパーの棚からバニラエッセンスを取ってきてくれと母に日本語で話しかけられるだけで、それまで懸命に上ってきたアメリカン・ライフの梯子から、足首を掴まれて引き摺り下ろされるような気持ちになったのだった。

私はバニラエッセンスを棚から見つけ、不機嫌丸出しの顔で乱暴にカートに投げ入れた。

私が苛立ちを向けた矛先は、両親だけではない。

マチコちゃんは、私の数か月後に Ortega Elementary に転入してきた。日本で同じ学校に通っていたら、私とマチコちゃんが友達になることはなかっただろう。そもそもマチコちゃんは私より一学年下だったから、一緒に授業を受けることもなかった。そしてマチコちゃんは、もの静かだが運動が得意だった。私は本を読んだり言葉を使ったりするのが好きだったが、運動は絶望的に苦手だった。

でもそんなことは、国籍とエスニシティの現実を前にしては無意味な違いだった。ミス・ダイノが日本から来たばかりの私を当然のようにミカ・ミヤモトの隣に座らせたように、先生たちはなにかにつけ、私とマチコちゃんを一緒に扱った。

私の英語の上達は、マチコちゃんよりも速かった。学年が終わる頃には、私はいなり寿司の発表をなし遂げ、日々の学校生活もどうにかこうにか送るようになっていたが、マチコちゃんは、ごく基本的なやりとりにもまだ苦労していた。先生やスタッフは、連絡事項があると、私を通訳にしてマチコちゃんに伝えるようになった。

私はマチコちゃんに対して、大いなる優越感を抱くようになった。

お昼休みには、一緒に座っているマチコちゃんを仲間外れにして、ほかの女の子たちと英語で話をした。「マリ、マチコに日本語で説明してあげなきゃ」と、ほかの子が無邪気に言うこともあった。そんなときは「あ、そうだった」と、急に思い出したようなふりをしてから、マチコちゃんに日本語で解説を施した。マチコちゃんとふたりだけのときにも、マチコちゃんがわからないのを承知でわざと英語を使ったりした。

マチコちゃんのことをとりわけ好きだったわけでもないのに、私は誕生日パーティに、Ortega Elementaryの女の子数人と合わせて、わざわざマチコちゃんを招待した。マチコちゃんのお母さんが、母に電話をかけてきた。子供がパーティに来るためには、親に車で連れてきてもらわなければいけないから、招待された本人ではなく親が返事をするのは不自然ではない。

「あらあ、そんな」「まあ、そうですかあ」などという母の声は、ふつうよりやや大きいように思えた。

「マチコちゃん、来ないって」

電話を切った母は私に報告した。

「なんで？」

私は不服だった。

「マチコちゃんはまだ英語がわからないから、みんなと話ができなくてつまらないって言ってるんだって」

学校で私がマチコちゃんを仲間外れにしたり、マチコちゃんと話すのにわざと英語を使ったりすることを、マチコちゃんはお母さんに話しているのだろうか。それともマチコちゃんのお母さんは、母に言ったとおり、娘が「まだ英語がわからないから、みんなと話ができなくてつまらない」と思っているのだろうか。

とにかく私は、納得がいかなかった。

せっかく誘ってあげているのに、なぜ来ないのだ——というのは表向きの理屈でしかなかった。私はなんとか英語をおぼえて、学校でほかの子に混じって毎日を送るようになり、ほんの数人とはいえ、招待すれば誕生日パーティに来てくれる友達もできた。その事実を確認するには、比較対象として、英語ができず友達もいないマチコちゃんがその場にいることが必要だった。なぜその役割をマチコちゃんが拒否するのか。——と正直に言葉にすることはできなかったが、その思いは、とぐろを巻くように身体をかけめぐった。

「ええええ、やだあ〜、マチコちゃんも来てくれなきゃイヤ〜」

私は駄々をこねた。私が学校でマチコちゃんに向けている態度や仕打ちを、母は知る由もない。また、仮に知っていたとしても、そうした奢りを叱るような母ではない。私はそれを本能的に理解していた。そうやってごね続けた結果、母はしばらくして、マチコちゃんのお母さんに電話をかけてくれた。

「あのね、真里が、やっぱりマチコちゃんに是非来てほしいって言ってるんですよ。もしよかったら、来ていただけないかしら。真里だってまだ英語はそんなにできないですし、マチコちゃんと一緒ですよ」

人並みに謙遜している。

「うちはひとりっ子なので、わがままなんですけどね、英語ができなくて学校では寂しい思いもしたでしょうから、こっちに来てから最初の誕生日だし、やっぱり、お友達に来てもらったらうれしいと思うんですよ」

私に聞こえるのがわかって言っている。

まともな言いぶんが通じたのか、あるいはそれ以上断りつづけるのが面倒だったのか、けっきょくマチコちゃんは、浮かない顔でパーティにやってきた。そして私は予定どおり、Laura と Shannon と Lisa そしてマチコちゃんと、ゲームをしたりおしゃべりをしたりして、その午後を過ごした。いつものように、マチコちゃんにも英語で話し、理解できないマチコちゃんが寂しそうな顔で黙っているのに気づかないふりをした。キッチンにいる母は案の定、そんな子供どうしの力学には無頓着の様子だった。

*

Collins にあがってから半年ほどしたある日の午後、私は校長先生の Mr. Bruni の Office に呼ばれた。背の低い、丸顔の Mr. Bruni は親しみやすく生徒たちに人気で、叱られる以外の理由で Mr. Bruni の Office に呼ばれるのは、名誉なことだった。

次の日から三日間、日本から生徒が四人、この学校にやってくる。

Mr. Bruni は私にそう説明した。Cupertino の姉妹都市が愛知県にあり、四人の中学生が exchange students として訪ねてくるのだという。私は名前を聞いたこともないその市がなぜCupertinoの姉妹都市なのだか、見当もつかなかった。その生徒たちがどのくらい英語ができるのかはわからないが、三日間、マリが案内してあげてほしいと、Mr. Bruniはにっこり微笑みながら言った。学校じゅうで私だけにしか遂行できない任務を校長先生からじきじきに仰せつかったのが誇らしく、私はソワソワして日本からの訪問客の到来を待った。

その期待感は、翌朝Mr. BruniのOfficeに四人があらわれた瞬間、すっかり萎《しぼ》んだ。四人とも、体育やクラブ活動の時間に着るような白のジャージ姿で、しかもまるで囚人のように、胸には名前入りの布が貼ってあった。ふたりの男子は丸刈りに近い短髪で、いっぽうの女子はといえば、ヘルメットをかぶったようにまっすぐ切り揃えられた髪型だった。背の高いほうの男の子は、口を閉じていてもわかるほどの出っ歯で、もうひとりのほうも、歯並びが悪いのがぱっと見でわかる。exchange studentsという響きから私が思い描いていたものとはまるで違って、頭脳明晰だとか国際交流に熱心だとかいう印象はどこにもなく、田舎臭い雰囲気がぷんぷん漂っていた。雑誌やテレビで見る中国の子供たちのようだと私は思った。

学校のあちこちには、抱き合ったりキスをしたりしているカップルや、ボーイフレンドの膝に乗って座っている女の子もいて、ムンムンした空気が漂っていたが、そんななかで、背丈はとくに見劣りしないのにまるっきり性の匂いのしないこの四人は、幼い小学生のように見えた。

私はVallco Shopping Centerで買ってもらったVネックの薄紫のシャツ――mauveという単語をvocabulary testで覚えたばかりだった――にお気に入りのジーンズを履いて、赤い大きなバインダーを胸に抱えていた。Mr. Bruniの前では、内心の失望をなるべく見せず、四人を前に日本語で簡単に自己紹介しながら、親切を装った。四人は異星人に出会ったような表情で、「こんにちは」とぎこちなく頭を下げた。

四人はMr. Bruniに言われたとおり、一日じゅう教室から教室へと私についてまわった。四人の英語は、Ortega Elementaryに初めて行った日の私と同程度だった。私はそれぞれの授業の最初に、なにを勉強しているのか四人に簡単に説明したが、授業中ずっと四人の相手をしているわけにもいかない。私には自分の勉強が、そして学校生活があるのだ。

四人はかつて私がMiss Dinoの教室でしていたように、授業時間中はずっとなにもせず、ただじっと黙って座っていた。体育の時間だけは、四人それぞれ別のチームに入ってバレーボールをした。recessと昼休みには、私がいつもの友達グループと一緒に座ると、白ジャージの四人はその輪の後ろに、居心地悪そうに腰を下ろした。名前はなんていうのだとか、きょうだいはいるのかとか、スポーツはやるかとか、女の子たちから飛んでくるあれこれの質問に、四人は私を通じてボソボソと答えた。

Collinsで、この四人の日本人は珍しい見世物のような存在だったが、彼らに向けられる好奇の視線は、そう長くは続かなかった。四人に対する私自身の好奇心は、それよりさらに素早く消滅した。好奇心に代わって苛立ちが生まれ、それが嫌悪感やら恨みやらに形を変えて、どんどん膨らんでいった。

ジャージ姿の田舎っぺたちのせいで、私の祖国である日本が格好悪い国だと思われる。そばにいる私にまで、みんなの視線が注がれる。それは、中学生の女子が望む種類の視線ではなかった。みんなと同じように英語をしゃべって、みんなと同じような服装をして、みんなと同じような持ち物を抱えて、みんなと同じような身のこなしで歩いたり笑ったりして、せっかくみんなと同じアメリカの中学生になったのに、この田舎っぺたちが、たった三日間で、もとのfresh-off-the-planeの座に私を引き摺り下ろすなんて！

困惑でも不安でもなんでもいいから、四人が感じたり考えたりしていることをわずかでも表現してくれれば、私も少しは交流を試みたかもしれない。でも四人はどこまでも無表情だった。四人どうしで驚きや戸惑いを共有しあっているようにも見えなかった。

四人がなるべく居心地良く楽しめるよう、私が努力をしなければいけないという筋合いはない――私は勝手にそう結論を出した。それに、わざわざ exchange students としてやって来ているのだから、言葉の通じない外国で過ごすのはどういうことかを経験してみるべきだろう。そのためには、私が親切に通訳などしないほうがいいにちがいない。

頭のなかで、私の理屈はどんどん発展していった。

そのあとの二日間、黙ってトボトボと私の後ろについてまわる四人を、私は基本的に無視した。マチコちゃんにしたのと同じように、ほかの子たちと一緒にいるときには、四人がそばにいても英語だけで話した。ときおりしかたなく日本語で通訳をするときには、言葉と身振りのすべてに優越感を滲ませた。

私は「こちら側」の人間になったのだ。

三日間を終えて四人が Collins から姿を消すと、心底安堵した。

Love, Always

いなり寿司の発表から二十年以上を経てKyleとのつながりを発見した数日後、私はとにかくKyleの証言を確認しようと、クローゼットの奥をガサゴソと探して、Collinsのyearbookを取り出した。

小学校にはyearbookというものがなかったし、あったとしても、私は学年の途中に転入したのでクラス写真には入っていないから、私とKyleが一緒に写っている写真があるとは思えない。でも、落ち着いてゆっくり考えてみると、CollinsにはKyle Ikedaという名前の生徒がいたような気もしてきた。

私が七年生だった年のyearbookは麻色の表紙で、ビニールのカバーをかけてあってもかなり黄ばんでいた。八年生の年のyearbookは、銀色の表紙だった。パラパラとめくっているうちに、通路にロッカーが並んだ校舎の様子やら、当時流行っていた髪型や服装やら、人気者だった生徒たちのことが、ひとつまたひとつと思い出されてきた。

yearbook のメインは、生徒ひとりひとりの顔写真である。Picture Day と呼ばれる日に、プロの写真家が学校に来て、全員の写真を撮ってくれるのだった。中学生ともなると、この日のためにわざわざ着飾って来る女の子も多い。カメラマンにそのように指示されたのだろう、みんなちょっと右肩を前に出して、斜めの角度から写っている。いかにもアメリカらしい、歯を見せた満面の笑顔で写っている子が多い。

どれどれと、苗字のアルファベットをたどっていくと、あったあった、「Ikeda, Kyle」がたしかに載っている。当然といえば当然だが、私がここハワイで知っている Kyle を中学生に戻したような、少年が青年になる過渡期の顔つきをしている。

ああそうだ、そういえば、中学でいくつか同じクラスだった、背が小さめの子だったよなと、ようやく少し思い出した。それでも相変わらずミス・ダイノのクラスに彼がいたことはさっぱり思い出さないのは、その頃は英語力と比例して物事全般の認識力が著しく低かったためだろう。

自分の写真も確認した。

七年生の写真では、おかっぱ頭に、襟のところにリボンのついたよそいきのワンピース姿で、アジア人のステレオタイプを絵に描いたような細い目をして、ほかの子たちと同じように、歯を見せてにっこり笑っている。アメリカの生活に溶け込もうと頑張っている十二歳の女の子の顔だと、自分で思う。

一年後の写真は、自分で見ても少しどきっとするくらい様子が変わっている。

写真は白黒だが、Picture Day のために選んだ、紫のベストのついた薄緑のワンピースに、ネックレス姿。ほかの多くの女の子と同じように、前から横に流した髪が、顔の左右で外にウェーブしている。朝早く起きてシャンプーをして、ブローをして、コテで髪をせっせとカールしていた頃だ。そして、これもほかの多くの子と同様、矯正中の歯を堂々と見せて笑っている。目が細いのは変わるはずもないが、顔の肉付きや姿勢が、一年前とはあきらかに違っている。生意気な口を利きそうな顔つきだと、自分で思う。十二歳から十三歳という時期の変化の大きさを感じさせる写真だった。

ページをめくっていると、ああ、そういえばあの子もいた、この子もいたと、いろいろな同級生のことを思い出すだけでなく、当時の空気が肌で感じられるように蘇ってきた。

苗字のアルファベット順に並んでいる全生徒の顔写真に混じって、candid photos と見出しのつけられた、学校生活のさまざまな光景のスナップ写真が、あれこれ掲載されている。そうした写真の多くは、くっついては離れ、組み合わせを変え続ける中学生の人間関係を、鮮明に、そして残酷に、とらえていた。

yearbookでは、スポーツチームも華々しく扱われている。男子ではフットボールへの予備軍としてのラグビーチームが、女子ではサッカーが花形で、ついでバスケットボールやバレーボールが人気だった。私はこのyearbookを見るまで、男子のレスリングチームなどというものが存在したことすら知らなかったが、そういわれて見ると、たしかにレスリングをやっていそうな男子たちが、並んで数枚の写真に写っている。そして、日本の感覚ですればこれがほんとうに中学生かと思うような、ミニスカート姿に手にはポンポンを持って色気づいた視線をカメラに向けているチアリーダーたちも、見開き二ページを占めている。

生徒会の役員も、専用のページで特別扱いをされていた。私が八年生のときの役員は全員女子で、会長と書記は黒人のKarri FosterとHolly Ewing。Mika Miyamotoは副会長だった。プロフィール写真でMikaは、大きな赤いハートのついたトレーナーにジーンズ姿で芝生に座り、あげた片膝に肘を乗せて、はにかみと自信の混じった笑顔でカメラを見つめている。例の calligraphy pen で *Mika Miyamoto for Vice President* と綺麗に書かれ、選挙期間中キャンパスのあちこちに貼られていたポスターが、yearbook の数か所に掲載されているところをみると、やはり Mika は人気者で当選確実とされていたのだろう。

yearbook 編集を担当した生徒たちと監修の先生のページや、Journalism のクラスの写真もある。Band や Chorus の写真ももちろんあって、フルートを持った私も前列に座っている。

一定以上の成績を修めて Honor Roll という「優等生名簿」に入った生徒たちの集合写真もある。七年生のときも八年生のときも、私はそのグループに入っていた。

その写真をよくよく見てみると、なんと両方の写真で、私のすぐそばに Kyle が立っているではないか。ふたりとも好きこのんで学問の道に進んだくらいだから、中学生のときに学業優秀だったのは驚くことではないかもしれない。それでも、Jon Nakamatsu のコンサート会場で隣に座っていたあの Kyle が、二十数年前に自分のこんな至近距離に立っていたと思うと、頭がくらくらしてくる。

こうして見てみると、Cupertino の学校で一緒に学んでいた Kyle と私の道程が、今こうしてハワイで交差していることは、なにか自分たちを超えた大きな力によるもののような気がせずにはいられなかった。yearbookの写真でKyleは、カリフォルニアにいる、ごくあたりまえの日系三世や四世の顔つきをしている。当時はおそらく、自分がJapanese Americanであることはもちろんわかっていても、日本や日本語にとりわけ興味があるわけでもなかっただろうし、土曜日の日本語教室も、親に行けと言われてしぶしぶ、日本語の勉強よりも友達と遊ぶために通っていたのだろう。

小説の*Shōgun*がベストセラーになって、テレビドラマ化もされて大ヒットしていたもののの、子供たちのあいだで日本文化がcoolなものとなる時代はまだまだ訪れていなかった。そういえばKyle自身、家族や親戚はほとんどが日系人だし、友達にも日系人はたくさんいたが、日本から来た、英語を話さない「ほんものの日本人」に出会ったのは、私がはじめてだったと言っていた。親戚の集まりやお祭りでいなり寿司を食べることはあっただろうが、その作りかたを学校で日本人の女の子がプレゼンするのを見るのは、Kyleにとってはかなりインパクトのある経験だったのかもしれない。

そして、当時はごくふつうのassimilated Japanese AmericanだったKyleが、やがて日本に興味を抱き、アメリカの大学で日本語を身につけ、博士課程まで進んで沖縄文学を研究するまでになったのだ。そしてその同じ年月のあいだに、当時はいなり寿司の発表が大偉業といえるほど英語ができなかった私は、アメリカ研究の専門家になって、アメリカ人の学生を相手に授業をするようになったのだ。そしてそのふたりが二十年以上たって、アメリカと日本のあいだにあるこのハワイで再会するとは。

yearbook には、その年に流行したバンドやブランド、人気だったテレビ番組などをリストしたページもある。ジョン・レノンが銃殺されたこの年の流行歌のトップは、Starting Over。二位は The Vapors の Turning Japanese だった。ひたすら繰り返しの多いメロディや、思わずピョンピョンと飛び跳ねたくなるリズムが思い出されたが、この曲の歌詞や、日本食レストランの看板に使われる竹を繋いだようなフォントで書かれたタイトルが、いったいなにを意味しているのかも、なぜそれがそんなに流行ったのかも、当時はさっぱりわからなかった。ロックもポップもとくに好きではなかったが、みんなの話についていくためにカセットテープを聴いていた Styx や Journey も、もちろんリストに入っていた。

七年生の yearbook のなかほどには、Hostages Return という見出しのついたページがあった。一九七九年十一月に、六十六人のアメリカ人を人質としてイラン過激派がテヘランのアメリカ大使館を占拠した事件の様子と、その期間、アメリカじゅうの人々が、人質の無事を祈る印として黄色いリボンを身につけたことが、校長先生のMr. Bruniの言葉で書かれている。その文章の後半は、こう結ばれている。

アメリカ人が人質となっているあいだ、イランはアメリカ人が最も忌み嫌う国になった。アヤトラ・ホメイニは、Billygoatといったものから、あるいはもっとひどい言葉を含む、いろいろな形容をされるようになった。

大使館占拠が始まってから四百四十四日後の一九八一年一月二十日、人質はようやく解放された。ありとあらゆる場所で、黄色いリボンや旗が見られた。帰還した人質たちはアメリカに戻ると英雄として受け入れられ、ニューヨークでは紙吹雪の舞うなかのパレードがおこなわれた。

この事件は、全国を固い絆で結びつける出来事となった。

私も、配られた黄色いリボンを胸につけて学校に通っていた時期があったのを思い出した。一日も早く人質が無事に解放されますようにと、素直に願っていたのだった。

yearbookには、メッセージ欄がある。yearbook本体に空白のページが数枚あるのとは別に、白紙の薄い冊子がついていて、夏休み前にyearbookが配られると、生徒たちはそれを友達にまわして、メッセージを書いてもらうのが慣習だった。いろんな筆跡で、いろんな色のペンで、いろんな向きで、メッセージがびっしり書き込まれていると、たくさんの友達に囲まれた幸せな学校生活を送ったような形跡が残る。そうしたことに敏感なこの年齢の生徒たちは、それほど仲良くなかった子にもせっせとメッセージを頼んだりする。

私自身もそういう気持ちがはたらいていたのだろう。ページを埋める何十ものメッセージのなかには、見てもだれだか思い出さない名前もあった。メッセージといわれても、とっさになにを書いてよいものやら、気の利いたことが思いつかない生徒も多いので、It was nice to be in your science class this year. Have a nice summer. といった単純なものもあるが、短くひとこと、Thank you for being my friend. とだけ書かれていて、かえって胸を突くものもあった。その一文を書いた子の名前を見ても思い出さないのが、ますます申し訳なかった。

それでもメッセージの八割がたは、名前をみれば今でも顔が思い浮かぶ、じっさいに仲良くしていた子たちのものだった。

表紙をめくった見開きに二ページにわたってメッセージを書いてくれたLillyの文字は、

覚えていたとおり、おとなのような筆跡だった。表紙裏の特等ページを彼女のためにとっておいたことじたいが、自分がLillyに抱いていた思い入れを感じさせた。

色とりどりのcalligraphy penで、その年の思い出や私へのメッセージを書いてくれている友達もいる。学校ではピアノを弾くことがなかったにもかかわらず、何人もの子が、「マリはピアノが天才的に上手くて羨ましい」といった類のことを書いているところをみると、学校のコンサートや、私のリサイタルに来てくれた友達がけっこう多かったのだろう。

八ページのメッセージ欄の最後のページに、綺麗に揃った曲線を帯びた文字で書かれたメッセージがあった。名前を見ると、漢字で「宮本美香」と書いてある。中学に入ってからは口をきいた記憶もないので、Mikaにメッセージを書いてもらっていたということじたいが驚きだったし、Mikaが自分の名前をしっかりとした漢字で書いているのが、とても意外だった。そして、メッセージを読むと、さらに驚いた。

Dear Mari~

I'm real glad that you're having a lot more fun in school now. It's a lot better than last year. Right? You have come such a long way since you first came here. Please take care and have a nice summer. "But" try not to change too much—because I like you just the way you are!

Love Always,
宮本美香

Ortega Elementaryでは、ただ日系人であるというだけで私の世話係を押しつけられたミカは、私の存在を迷惑がっていただろう。Collinsにあがってからは、私から離れられてホッとしていたはずだ。そう思っていた。生徒会副会長でもあり、サッカーチームのスターでもあり、優等生でもあった彼女は、私のことなどすっかり忘れてしまったか、覚えていても眼中になかっただろう。そう思っていた。

そのMikaが、私がなんとか英語を身につけ、中学に入ってからはそれなりに溶け込んで自分なりの人間関係を作り、楽しそうにやっているのだということを、離れたところから見てくれていた。そのことを、二十年以上たってから私は知った。ありのままのあなたが好きだから変わらないでね、というのはさすがにティーンエイジャーならではの大袈裟な表現だろうし、Love Alwaysも言いまわしであって、字義どおりに受け止めるのはどうかと思うが、とにかく、スター的存在だったMikaが私のことをこうして見ていてくれたことに、素直に心を打たれた。
メッセージ欄のなかほどには、Rochelleからのメッセージもあった。

Dear Mari,
Thank you for being such a very nice friend. Since I met you, you have matured + learned a lot. I hope you liked Collins. Let's have a great year next year. I hope I am in more classes with you next year. Have a wonderful summer.
Love,
Rochelle

Mikaの筆跡とは対照的に、あまり文字を書き慣れていない子が一生懸命考えながら書いた様子が、一文字一文字にかかっている筆圧にあらわれていた。中学に入ってからはしだいに話すこともなくなっていたRochelleも、こうやって私の成長を見届けていてくれたのだと思うと、あまり頭の回転が速くないと決めつけて彼女をばかにするようになっていたのを、心から申し訳なく思った。来年度は一緒のクラスがもっとあるといいねと書いてくれているのに、成績の差がますますついて、翌年は同じクラスはひとつもなくなったのも思い出した。

ON NOT BECOMING ASIAN AMERICAN

In the sense that learning English changed the way I existed in the world, you could say that the turning point in this story took place right at the beginning of the book, where I landed in California and was thrown into the world of the English language. And that is largely true, especially when I am telling the story in Japanese. But for you English readers, I have another very important point to make.

The thing is, if I had continued to live in California and gone to Fremont High School like most other kids at Collins did, and perhaps gone to UC Berkeley or Stanford, I would have likely become Asian American. My ancestors had not immigrated to the United States, and our family had not spent the war years incarcerated in the camps, so I would not have been the same kind of Japanese American like Ruth or Mika or Kyle. But such differences would not have meant much to people who were not Japanese (American). Besides, many Asian students at Collins were immigrants from Taiwan, Korea, Vietnam, and so forth, and children of Japanese expats, as long as they went on living in the United States, would not have been so different from those students as far as their place in American society was concerned. If I had kept on living in Cupertino, I probably would have continued to study with Ruth and Mr. Pleshakov, and who knows, I might have become one of those Asian (American) piano students at Juilliard. Or perhaps I would have gone to Cal and majored in ethnic studies or something else altogether, like creative writing. Then I might have become a Japanese American writer like John Okada and Garrett Hongo and Ruth Ozeki and Karen Tei Yamashita and Julie Otsuka. Then I might have been anthologized alongside other Asian American writers like Maxine Hong Kingston or Amy Tan or Chang-Rae Lee or Jhumpa Lahiri or Viet Nguyen. Okay, maybe not. Much more likely I would have been one of the many obscure writers nobody reads. In any case, I would likely have been an Asian American who speaks Japanese but reads and writes mostly, or perhaps entirely, in English.

But that's not how things went. I did not become an Asian American. Which meant that I did not become an Asian American writer. And that is why you're reading this portion of the text, the English-language text, in this thinly printed insert that most folks probably will not read.

Because, as you will learn in the pages that follow, after a few years in California, we were back in Japan. During the rest of middle school and the entirety of high school—the school oh so very different from Collins in every which way, as you will see in the following pages—I spent my long daily commute reading on the train. Blessed is Japan, well, Tokyo to be more accurate, where bookstores are everywhere (at least in the 1980s), and thousands of titles, Japanese and foreign, are available in compact paperbacks for only a few hundred yen. I occasionally went to Shinjuku and bought some American and British literature in paperbacks on the upper floor of Kinokuniya Bookstore. But I felt a bit self-conscious about reading them on the train, wondering if people would think I was just showing off. Plus, American paperbacks were so bulky and a pain to carry around, so I read most of those—some Dickens, Maugham, Hemingway—at home. Sitting on the train of the Ōimachi Line, I read Sōseki. I read Ōgai. I read Mishima. I read Kawabata. I read Hesse. I read Kafka. I read Ishikawa Tatsuzō. I read Inoue Yasushi. I read Abe Kōbō. I read Ariyoshi Sawako. I read Shimazaki Tōson. I read Higuchi Ichiyō. I read Ishigaki Ayako. I read Hayashi Fumiko. I read Yamamoto Yuzō. I read Endō Shusaku. I read Satō Aiko. I read Tanabe Seiko. I read Dazai Osamu. I read more Dazai Osamu. And even more Dazai Osamu. I read Sagan. I read Maupassant. I read Molière. I read Tolstoy. I read Dostoevsky. I read Goethe. I read Aristophanes. I read Pushkin. I read Mann. I read Chekhov. I read them all in Japanese.

I became not an Asian American but a Japanese, not only because of where I lived but because of the language through which I imagined the world.

レベッカの肖像画

二年半を過ごしたカリフォルニアのベイエリアに別れを告げ、ふたたび日本の地を踏んでから三日後、途中編入の申し込みをしていた学校に、私は両親と一緒に出かけた。電車とバスを合わせて乗り換え三回、片道一時間半の道のりだった。多摩川を越えると、急に時の流れがゆっくりになったような気がした。

カリフォルニアに行ったばかりの頃、知っている英語といえば「ハロー」「サンキュー」「グッバイ」だけだった私は、現地校でサーバイブするために必死で英語をおぼえた。中学校にあがる頃には、なんとかふつうに会話ができるようになり、みんなと同じような格好をしてみんなと同じようなテレビ番組をみるようになり、友達もできて、楽しい学校生活を送るようになっていた。

しかし私たちは移民ではなかった。

カリフォルニアにいるあいだ、平日は現地の学校、土曜日にはスクールバスに一時間乗って、日本人駐在員の子供たちのための補習校に通っていた。それにくわえて、通信教育も受けていた。月に一度、算数やら国語やらの教材が届き、問題に解答して送付すると、しばらくして添削されたものが返ってくる。数か月に一度は、世界各地の日本語補習校の様子を伝えるニューズレターのようなものが同封されていた。サンパウロだのシンガポールだのブリュッセルだのについての短い紹介文を読みながら、なるほどそういう場所にも日本人駐在員がいて、その子供たちが補習校に通っていることを知った。

教材やニューズレターの入った白いツルツルの封筒は、世界各地でそれを受け取る生徒たちの共通項が「日本」であることを忘れさせなかった。髪や目の色が黒いというのは同じでも、クラスメートのMikaやピアノの先生のRuthのような日系アメリカ人と自分がまるで違うのはもちろんだったが、同じ駐在員でも、アメリカ永住を決めている藤倉さん一家や、親は帰国しても娘はUCバークレーに進学するという選択をした窪田さんたちとは違って、私たち家族はやがて日本に帰って、日本で暮らして、私は日本の学校に行く人間なのだという暗黙の前提があった。

日常の現実となったアメリカの生活も、人生全体で見れば一時的な非日常であり、自分はあくまでも「ふつうの日本人」なのだという月例リマインダーのように、通信教育の教材は私に「日本」を喚起させた。

そうしてやはり、苦労してせっかく現地の生活に同化しつつあった子供の都合などいざ知らず、帰国のときはやってきた。父に帰国の内示が出ると、通信教育の教材のほかに、帰国子女受け入れ枠のある日本の学校の情報をまとめた冊子が送付されてきた。母と私は連日その冊子を見入った。そして、私に編入資格のある数少ない学校のうち、横浜の郊外にある学校に親が問い合わせを送っていたのだった。

田んぼや小山に囲まれたキャンパスに着くと、校長室に通され、隅のどっしりとした机に座らされた。そこで私は英語と国語と数学の試験を受けた。解答し終わってから少し待っていると、採点を終えた教頭先生が入ってきて、あっさりと入学許可が下りた。

始業式の日には、生徒たちの集まっている体育館の外に黒い車が停まり、ドアが開閉するのが聞こえると、学年主任の「きり～つ！」という号令がかかった。ワイワイ騒いでいた生徒たちは、瞬時に静まりかえった。カツ、カツ、という靴の音とともに壇上に上がったのは、編入試験の時に少しだけ姿を見た校長だった。意味不明の長い挨拶が終わるまで、みんなシーンとして直立不動だった。なにかの本で読んだ「全体主義」という単語が頭に浮かんだ。

その翌日から、志賀高原で三泊四日の「団体訓練」があった。要はスキー合宿だったが、その名にふさわしく、なにかにつけて軍隊のごとく整列し、大声で「一、二、……」と点呼があった。点呼なるものは初めて体験したが、考えてみれば、こんなふうに整列したことも歩を合わせて行進したことも、アメリカにいるあいだはいちどもなかった。

消灯時間になると、先生たちが各部屋を点検にまわる。六人部屋の私たちは、電気を消してみな布団に入り、静かに寝ているふりをしたが、ひとり、おしゃもというあだ名の明るく剽軽《ひょうきん》な子が、部屋の入り口の脇にある洗面台でまだ歯磨きをしていた。

「お前、なにをしてるんだあ〜！　何時だと思ってる！　時計が読めんのか〜！」

フロア全体に大声が響きわたった。生徒たちのあいだでは「カワベ」と呼び捨てで呼ばれている、顔も身体もいかつい、柔道部顧問の先生だった。布団のなかで呆気にとられているいると、カワベはおしゃもを押しのけて畳の部屋に上がり、こんどは布団に入っている私たち五人に向かって「全員廊下に出ろ！」と命じた。

なにが起こっているのかわからないまま、みんなについて廊下に出た。私たちは壁沿いに並んで正座させられた。えんえんと続く説教では、「五分前の精神」だの「集団責任」だのという言葉が発せられた。みんな足が痺れて、足の指をモゾモゾと動かしたり、上体を少し浮かせたりしながらも、視線は下に向けたままシュンとしている。

「じっとして反省しろ！」

そう叫んで、カワベはスリッパの音を立てて廊下の向こうに消えていった。見張りがいなくなったにもかかわらず、だれも口を聞かず、みなじっと正座を続けている。

しばらくして、カワベと、身長がその三分の二くらいのスエダ先生が廊下の向こうからあらわれた。伏せた視線に入ったのは、私たちの前に仁王立ちになったカワベの足もとだけだった。水色のジャージの裾はともかく、その下が茶色のビニール地に旅館の名前が入ったスリッパなのが、ちょっと間抜けな感じがする。

「お前ら、わかったか！」というスエダ先生の大声が耳をついた。なにをわかるべきなのだろう。だれもなにも言わない。

カワベがかがんで、私たちの部屋の入り口に並んだスリッパをひとつ手に取った。なにが起こるのだろうと考えるまもないうちに、バン！バン！バン！という大きな音が鳴り響いた。旅館の名前が入った茶色のスリッパがこちらに向かってくる。カワベが手にしたスリッパを振り上げると、反射的に目をつむったが、その直後にバン！と思い切り頭を叩かれた。「目から火が出る」という表現は比喩ではないことを、その瞬間知った。

なんだかとんでもない学校に来てしまったものだと困惑したが、毎日通うようになってみると、やはり相当風変わりな学校であることが日に日に確認された。

＊

中学は一学年四百人、高校になるとその倍ほども生徒がいるマンモス校だったが、女子はそのうち約四分の一で、男子とは校舎も授業もすべて別だった。制服のスカート丈はもちろん、髪型や持ち物にも細かな校則があり、下校時の寄り道もアルバイトも禁止されていた。毎日、朝と夕方には国旗掲揚があり、バス停に向かう途中であろうがクラブ活動中であろうが、君が代がスピーカーから流れ始めると国旗の方向を向き、終わるまで静かに直立していなければならない。そんな戦時中のような規律にも驚いたが、もっと驚いたのは、みんながそれを忠実に守っていることだった。

カリフォルニアとはあまりにもかけ離れた環境に違和感をおぼえることだらけだったが、

私は拍子抜けするほどスムーズに学校生活に溶け込んでいった。はじめはどう見ても似合わなかった制服も、数週間もすれば体に馴染んできた。スカートのウエストの部分を二重三重に巻いて丈を短くすることも、革の鞄の糸を抜き、お湯を入れ柔らかくしてぺったんこにすることもおぼえた。カリフォルニアでは毎朝せっせとカーラーで前から横にかけて巻いていた髪も、みんなと同じような段カットにした。

アメリカでは毎日どんな服装で学校に通っていたのかとか、バスケットボールはやるかとか、家にプールはあったかとか、そんな質問に答えるたびに、カリフォルニアは遠くなっていった。帰国子女が帰国子女である所以は、帰国して今ここ日本にいることにあり、日本ではないどこかで送っていた生活や、そこで生きていた自分にあるのではないのを、私は悟っていった。

学校のみんなにとって、私が帰国子女であることの意味は、一にも二にも英語ができることにあった。とはいっても、じっさいどのくらい英語ができるのかを判断する力はみんなになかったから、私が帰国子女であることの意味は、より正確にいえば、私の英語の発音にあった。

「『マクドナルド』って、ホンモノの発音で言ってみて〜」

「英語で自己紹介してみて〜」

学校に転入してすぐの頃は、クラスメートたちのこうしたリクエストに応えるだけで、わぁ〜という歓声が上がった。英語の授業で私が教科書を音読するたびに、「カッコイイ〜！」と拍手が起きた。学校帰りには、友達数人と駅前の電話ボックスでデタラメの番号に電話をかけ、相手が出ると、なんの脈絡もない英語で私が話しはじめ、相手が慌てふためくのを確認して切っては大笑いするなどという悪戯をなんどもやった。

制服が藤色の夏服に変わる頃、担任の先生に、全校合同の英語スピーチコンテストに出るようにと言われた。英語の教科書の一部を暗誦するだけだったから、スピーチコンテストというより暗誦コンテストだった。

ほかの生徒に不公平なので遠慮しますと、私は言った。英語の初歩をせっせと勉強している生徒たちにまじって、最近まで英語圏で暮らしていた私が英語の暗誦コンテストに出ることに、いったいどんな意味があるのかわからなかった。しかし先生は、とにかくコンテストを担当する先生に話しにいくようにと促した。

男子部で英語を教えているアメリカ人の先生は、Mr. Tischという名前のために「クリネックス先生」というあだ名で生徒たちに呼ばれていた。クリネックス先生は、私の言いぶんを聞きながら、面倒臭いのがやってきたという顔つきを隠さなかった。

「きみの言うことはもっともかもしれないが、帰国子女だからといって別のカテゴリーを作るのは、それはそれで不公平だと僕は思う」

「別のカテゴリーを作ってほしいなんて言っていません。私は出たくないのに、担任の先生が出ろって言うんです」

中学の教科書の英文を暗誦するよりも、こうしてクリネックス先生を相手に英語で持論を展開するほうが、よほど英語のスピーチコンテストの趣旨に合っているのではないかと思いながら主張したが、その努力も虚《むな》しく、けっきょくコンテストに出場させられることになった。

窓の外ではミンミンと蝉の鳴き声が聞こえるのに、中学二年生が暗誦するのは、ニューイングランドと名付けられた土地に入植したピルグリム・ファーザースたちが厳しい冬を越す話の一部だった。

It was a cold winter という文の cold の母音をちょっと長めに伸ばして、ブルっと震える動作をしてみた。一緒に出場した同じクラスのうつみが、「かわいかったよ」と、あとから真面目に声をかけてくれた。

優勝してこれほど嬉しくないコンテストというのは、あとにも先にもなかった。

＊

高一の一学期がなかばに差しかかった頃だった。ホームルームの時間に、翌日からオランダ人の生徒が来ると担任が私たちに告げた。教室はざわついた。

「え〜、せんせ〜、その子は日本語できるんですか？」

至極まっとうな質問がだれからともなく出たが、どうやら答えは否のようだった。

「え〜、じゃあ、どうやって話するんですか〜？　その子は学校でなにをするの？」

これまたリーズナブルな質問が続いたが、納得のいく答えは返ってこない。言葉のできない外国人の生徒がやって来るというだけで、先生自身、頭がいっぱいだったのかもしれない。

「吉原の隣に席を作るから」

先生はそれだけ言った。かつてOrtega Elementaryでミス・ダイノが私をMikaの隣に座らせたように、私を隣に据えておけばなんとかなるという希望的観測だったのだろう。

私が英語ができないのと同じくらいMikaは日本語ができなかったから、あの教室では私はだれの隣に座っても同じことだったけれど、この教室では私が一番英語ができるのはたしかだ。

「でも先生、その子は英語できるんですか？　私、英語はできても、オランダ語はひとこともわかりませんけど」

先生からはやはり、答えがなかった。

日本語のできないオランダ人の生徒が、たんなる日本の学校というだけでなく、田んぼに囲まれた男女別学の受験校、毎朝毎夕全校で国旗掲揚を遵守するような学校にやって来て、いったいどうするのだろう。先生にかわって私のほうが心配になった。

でも、わざわざ日本に来るくらいだったら、もしかするとその子は日本が好きで、少しは日本語ができるのかもしれない。興味と必要さえあれば、あっというまに日本語ができるようになるかもしれない。私はカリフォルニアでの苦労を思い出し、その子は言葉のできない外国に来てさぞかし不安で寂しいだろうから、親切にしてあげなくっちゃと、善意を発揮することにした。

翌朝、教室の引き戸をガラガラと開けた先生の後に続いて、絵に描いたような金髪に青い目の女の子が入ってきた。制服はまだ持っていないらしく、地味な黒のワンピースを着ている。

「ハロー！」

「すごい、モデルみたいだね」

「かっわいい～」

みんな好奇心丸出しだった。

名前はレベッカというらしい。顔立ちは雑誌や吊り広告で見る白人の女の子のように可愛いのだが、はにかんでいるとも困惑しているとも怒っているとも言いがたいような、こわばった表情をしている。

レベッカがひとことも日本語を解さないのは一目瞭然だった。キャンパスに一歩足を踏み入れた瞬間からこの女子部校舎に辿り着くまでの、ほんの十分ほどのあいだに、あちらからもこちらからも好奇の眼差しを浴び、すでにまる一日を過ごしたような疲労感を感じているのだろう。それでも私のまわりのみんなは、そんなことは意にも介していないようだった。

「じゃあ、あそこに座りなさい」

先生はレベッカに向かってそう言って腕を伸ばし、私の隣に急遽作られた空席を指差した。レベッカが机と机のあいだの狭い隙間を歩くあいだも、みんなは飛び込んできた非日常に興奮を隠さず、遠慮なくジロジロとレベッカを見た。

Hi, my name is Mari. Do you speak English?

席に着いたレベッカに、そっと話しかけてみた。

レベッカは小さく頷いた。Yes, but not very well. という英語は、私には馴染みのないアクセントではあったが、じゅうぶん流暢に聞こえた。

よかった、私は英語できるから、通訳するからね、先生もほかのだれも英語わかんないから、どんな文句言ってもバレないよと、やや戯《ふざ》けて親しみを込めて言ったつもりだったが、レベッカはにこりともせず、また小さく頷くだけだった。みんなのための見せものとしてでなく、私がじっさいに英語で会話するのをクラスメートたちが目撃するのは、このときがはじめてだったが、会話といっても、ほとんどは私からレベッカへの一方通行だった。

一限の授業が始まって数分後、レベッカは私に顔を近づけて、紙をもらえないかと聞いた。私は持っていたルーズリーフを数枚渡した。レベッカは鞄からペンを取り出して、なにか文章を書きはじめた。日記だか手紙だか、とうぜんオランダ語で書いているのだろうが、覗きこんで見るのも悪いと思って、よくは見なかった。そうして、日本史、生物、古文と、午前の授業のあいだじゅうずっとレベッカは、先生にも私を含むまわりの生徒たちにも一瞥もくれず、ひたすら下を向いて文字を書きつづけていた。なにかとてつもない不条理が身に降りかかっているとでもいうような、悲壮な空気が彼女を包んでいるように私には見えた。

昼休みになった。

お弁当を持ってきていないレベッカを連れて、私は購買に行った。

横長のテーブルに並べられたパンをしばらくじっと見つめた末に、レベッカはボソッと言った。

No, it's OK.

でも、ほかに売ってるものはないよ、それに、このパン、そんなにまずくないよ、甘いのが好きじゃないんだったらこれがいいかも、と私はカレーパンを指して言った。帰りの時間になれば、第三食堂でラーメンかなにか食べられるけど、それまでまだ何時間かあるから、少しは食べておかないとお腹空いちゃうよ。——私は親切心を動員したつもりだった。

しかしレベッカは、無表情にIt's OK, I can wait.を繰り返すだけだった。

アジの塩焼きだの納豆だのをすすめているわけでもないのに、そんなに頑なに拒否することもあるまいと、私は内心少しムッとした。購買のパンは購買のパンでしかなかったが、それほどまずいものではないし、私だってしょっちゅう食べている。なんだか日本の食文化全般を否定されたようで、ニッポン国民を代表して抗議したい気持ちになってきたが、私は黙ってレベッカを連れて教室に戻った。

いつも一緒にお昼を食べている仲間に加わり、レベッカのぶんも椅子を引っ張ってきて、一緒に座った。

日本にはいつ来たの？

いつまで日本にいるの？

どこに泊まってるの？

きょうだいはいるの？

スポーツはやる？

そのくらいだったら、授業で勉強している英語でみんなじゅうぶん作文できるはずだったが、そんな質問を、私はひとつひとつ律儀に通訳した。レベッカから返ってくるのはせいぜいひとことふたことで、会話へと発展することも、レベッカの表情が笑顔に変わることもなかった。


昼休みの後の授業は美術だった。

女子部のプレハブ校舎には美術室がなく、五分ほど歩いて男子校舎まで行くのだが、案の定、ベランダにたむろしている男子生徒たちが、私たちにまじって歩くレベッカの姿を見て、「おう、見ろよ、ガイジンだ！　ガイジン！」と指を差して、いやらしい声をたてた。

美術の先生は背が低く、いつもむっつりしている、おじいさんに近いおじさんだった。生徒たちと心を交わそうとか、芸術の喜びを伝えようとかいう意思をまるで感じさせない、なぜ美術の教師を職業に選んだのかわからないような人物だった。美術の授業といっても、観賞や創作についてなんらかの指導があるわけでもなく、数週間ごとにスケッチだの水彩画だのといった課題が与えられて、それを授業時間内に黙々とやるだけだった。

レベッカが来る前の週から、私たちは肖像画を描いていた。だれかモデルになってくださいと先生が言うと、まっ先に手を挙げたのが彩香だった。彩香といつもつるんでいる女の子たちは、「もう、目立ちたがりなんだから」とか「モデルやれば絵描かなくて済むと思ってんでしょ〜、そういうときだけ頭の回転速いんだから」とからかっていたが、残りのクラスメートたちは、なんのためらいもなくモデルをかって出る彩香の度胸や自信にむしろ圧倒されていた。

彩香は美術の先生よりゆうに頭ひとつぶんくらい背が高く、美人だった。低いハスキーな声をしていて、私たち同級生と比べると、容姿も身のこなしもおとなびている。ずっと年上のボーイフレンドがいるという噂が嘘かほんとうかは知らなかったが、彩香という名前にふさわしい色気があった。苗字が横沼だったので、姓のあいうえお順に席が並ぶ授業ではいつも私の少し前に座っていたが、私はほとんど口をきいたことがなかった。

その日の朝、レベッカが教室に入ってきたときは、彩香もほかのみんなと同じように好奇の目で見ていたが、その後はレベッカにとりわけ興味を示している様子もなかった。

美術室に入ると、彩香はさっさと黒板の前の台に置かれた椅子に座って、前の週と同じように両手を膝に置き、顔を少し窓のほうに向けた。照れ笑いをするでもなく、まるで普段からモデルをしているかのように堂々としている。窓を通って彩香の顔にあたる真昼の陽射しが、夏の訪れを伝えていた。

外国人の生徒が来るということ、私が通訳するということは、先生にすでに伝わっていたらしかったが、先生はレベッカと会話をしようという素振りは皆目見せず、ただ新しい画用紙をレベッカに渡し、私に説明を命じた。

「みんなに追いつこうとしなくていいから、自分のペースで描いて、まずは全体の構図を取るように、だって」

私は先生のメッセージを忠実に伝えた。

レベッカはかすかに頷いただけで、ケースからデッサン用の鉛筆を掴んで、作業に取りかかった。

私は幼稚園のときから、絵を褒められたことはほとんどなく、とくべつ下手でもないがけっして上手ではないのはよくわかっていた。ただ、今回の肖像画は、自分でも意外なほど調子よく進んでいた。顔はあきらかに彩香の顔になってきたのが嬉しくて、私はせっせと手を動かした。それでもときおり、左隣のレベッカのほうに目をやった。

レベッカは、鉛筆の握りかたがみんなと違った。私たちはみな、だれに言われるでもなく、文字を書くときと同じように、親指と人差し指で鉛筆を握っていたが、レベッカは包丁やトンカチを握るときのように、手全体で上から鉛筆を握り、芯の先ではなく腹を使って、シュッシュッと大胆に鉛筆を動かしている。

ジロジロ見るのもはばかられたが、好奇心に駆られて、しだいに私はレベッカの動作に見入ってしまった。レベッカは、まわりの視線をはね返すような集中力と勢いで、どんどんと空白を埋めていった。レベッカが描いているのが、彩香の身体のいったいどの部分なのかもわからないくらい、不思議な描きかただった。もしかしたらレベッカは、オランダで絵の勉強をしていたのだろうか。オランダでは、高校で美術を本格的に習うのだろうか。

レベッカの絵を見てから自分の手元に目を戻すと、さっきまで悦に入っていた自分の絵は、顔こそ似ているものの、とてつもなく幼稚に思えてきた。それでも私は、彩香の手足の輪郭やスカートの折り目をあれこれといじった。教えられたことといえば、片目を瞑って腕を伸ばし、手に持った鉛筆で頭や手足の比率を測ることくらいで、あとはみんな好き勝手に描いているのだったが、好き勝手とはいっても、手順はみんな似通ったものだった。

でもレベッカは違った。

レベッカの謎の鉛筆の動きのもと、三十分もすると、ついさっき白紙だった画用紙に、立派な肖像画ができつつあった。そしてそれは、たしかに彩香の肖像ではあったが、クラスのほかのだれの作品とも違う空気が漂っていた。どこがどう違うかといわれても説明できないが、確実になにかが違う。レベッカの近くに座っている生徒はみんなレベッカの絵を見て、うわ〜、すご〜い、プロの絵みたい、などと感嘆の声を上げた。レベッカはそんなことは気にも留めず、作業に没頭している。

ゆっくり教室をまわっていた先生が、こちらにやって来た。

レベッカの絵を見た先生は、とくべつ感心したふうでもなく、「速いねえ」とだけ言った。私はそれを通訳して伝えたが、レベッカは視線を上げることすらせずに、作業を続けた。

先生はそれ以上なにも言わないまま、レベッカの手から鉛筆を取った。そして、線を直したり、空白を埋めたりと、レベッカの描いた絵に手を加えはじめた。

朝、私たちの教室に入ってきたときから、いや、おそらくバスでキャンパスに到着した瞬間から、一日じゅうほとんど声を発していなかったレベッカが、とつぜん、険しい表情で私のほうを向いて言った。

「このひと、なにをしてるの？　こんなことしていいって、私、言ってないわよ！」

私は反応に困った。オランダでは、教師が生徒の絵を直すのに、まず生徒の許可を請うのだろうか。

レベッカが気分を害しているのはだれの目にもあきらかだったが、先生はそんなことにはまったく気を留めず、レベッカの絵を直しつづけた。

私はじっと黙って見ているだけだった。「先生、レベッカは自分の絵に手を加えないでほしいって言ってます」などと言ったところで、なにがどうなるものでもない。

やがて先生は、やっと手を止めた。レベッカは怒りをむき出しにして、先生の手からぐいと鉛筆を取り戻した。先生がなにも言わずにほかの生徒たちの席へと移っていくと、レベッカは道具箱にあった消しゴムをむんずと掴んで、先生が描いた部分を猛烈な勢いで消しはじめた。顔は真っ赤で、今にも泣き出しそうだった。

He ruined my drawing!　私の絵を台無しにされた！

ruin という単語のふたつの母音を、はっきり区別して発音して、レベッカは「台無し」を強調した。

私はなにも言えなかった。

翌日、レベッカは学校に来なかった。レベッカはどうなったのかと、何人かの生徒が担任の先生に訊いたが、またしてもはっきりとした答えは返ってこなかった。

レベッカが来なくなって、先生はホッとしたに違いなかった。私もホッとした。

ブドウと水着

大学を卒業して最初の夏も終わりにさしかかった頃、成田空港まで見送りに来てくれた母親と数人の友達に勢いよく手を振って、私は「殿」と一緒に飛びたった。

「殿」とつき合うようになったのは、それぞれの留学先が決まってから、つまり日本を出発する数か月前のことだった。「殿」の留学先は、日本でもたいていだれもが知っているハーバード大学の博士課程。私はハーバードから車で一時間ほどのプロビデンスという街にある、日本ではほとんどだれも知らないブラウン大学の修士課程に、入学が決まっていた。

まずサンフランシスコで寄り道をして、数日間遊んだ。そこからニューヨークで飛行機を乗り継いで、それぞれの目的地に行く予定だった。

ラガーディア空港に近づけばニューヨークらしい摩天楼が目に入るかと、飛行機の窓に額をつけて外を覗いてみたが、どんよりと灰色の空は視界が悪く、ほとんどなにも見えなかった。着陸すると、窓に斜めの水滴がつきはじめた。しとしとと降っているように見えた雨は、私たちが飛行機を降りてゲートを移動するあいだに、たちまち大嵐になったらしい。離着陸情報の掲示板に、次々とDELAYEDの文字が並びはじめた。私たちそれぞれが乗るはずだった、ボストン行き、プロビデンス行きの便も、指し示したようにDELAYEDとなり、やがてCANCELLEDになった。航空会社のカウンターには、いろいろな体型や服装や髪型や肌の色をした人たちが詰めより、いろいろなアクセントの英語で質問したり嘆願したり絶望や怒りを表現したりしている。スタッフは謝るどころか、むしろ乗客への苛立ちを露わにしている。Tono, I have a feeling we're not in Tokyo any more.

このぶんでは、その日のうちに飛行機が飛ぶとは思えない。こんな混沌とした空港で夜を明かすのはまっぴらごめんだ。休暇で来ているのであれば、ニューヨークで遊ぶ時間ができたと喜んで街に出かけて行くところだが、翌々日には大学のオリエンテーションもある。

「困ったねえ」

「殿」と私は顔を見合わせた。

前年の冬に旅行したとき、ボストンとニューへイヴンを列車で往復したのを、私はふと思い出した。

「電車だったら行けるかなあ?」

混雑と混乱で殺気だった周囲をぐるっと見まわし、通路の隅に見つけた公衆電話に向かって、私たちは歩いて行った。備え付けてある分厚い黄色の電話帳で、Amtrakの番号を調べた。硬い銀色のボタンを押して電話をかけ、Penn Stationからボストン行きの列車の発車時刻を訊ねた。

プロビデンスはニューヨークから北上してボストンの手前にあるから、私がそこで降りて「殿」はそのままボストンまで行けばよいのだが、このぶんだと、プロビデンスに到着するのはかなり夜遅くになりそうだった。そんな時間に駅にタクシーがいるかどうかもわからないし、なんとか大学にたどり着いても、寮の受付が開いているとは思えない。しかたないので、その日はプロビデンスを通り越して「殿」と一緒にボストンまで行って一泊し、翌朝また電車に乗ってプロビデンスに行くことにした。そしてこんどは、いざというときのために親に渡されていたクレジットカードの特典としてついていた旅行サービスに電話をかけ、ボストンのAmtrakの駅から近いHoward Johnsonを予約してもらった。

雨と人混みで混沌としたタクシー乗り場の長い列に並び、私たちはようやくyellow cabに乗り込んだ。頭にターバンを巻いた運転手に向かって、Penn Station, please.という「殿」の声は、私には意外なほどしっかりした大きな声だった。駅に着くと、切符売り場の長い列にふたりで並んで切符を買った。「殿」は確固とした足取りで、スーツケースを引っ張って人混みのなかを待合所に向かってスイスイと進み、頭上の大きな案内板が見やすい位置に陣どった。出発予定時刻までには、まだ四十五分ほどある。

DEPARTEDと示された列車のあとに、発車予定の列車情報がいくつも並んでいる。行き先に並んでいる地名のうち、フィラデルフィアやバッファローはわかるが、それっていったいどこ?とまったく見当のつかないものもある。到着時刻が近づいている列車についても、発車ホームは表示されていない。どこに行けばよいのだろう、まあこれだけ人がいるのだからまわりを見ていればなんとかなるだろうと思っていると、頭上からパタパタパタという音がして、それとともに、私たちの前や後ろや右や左から大勢の人たちが、あるホームへの降り口に向かってダッシュをはじめた。到着する列車が近づいてから、発車ホームがパネルで表示される仕組みになっているらしい。なんだか無茶苦茶だ。

列車はやはり遅れた。ボストンに着いたのは真夜中だった。タクシーで Howard Johnson に着くと、部屋からふたたび Amtrak に電話をかけ、翌朝の逆方向の列車の発車時刻を調べ、さすがに疲れてぐっすり眠った。

そして翌日、South Station で「殿」に手を振って、私はプロビデンスへの列車に乗り込んだ。

こうして列車で移動するだけで、東海岸に留学してきたということが現実味を持って感じられた。その昔、カリフォルニアに住んでいた頃、列車に乗ったのは家族でカナダに旅行したときだけだった。あれからの年月で、シリコンバレーの急成長とともに人口が増えて、サンノゼからサンフランシスコまで電車で通勤する人が増えたと聞いていた。とてつもない時間が経ったような気がしたが、数えてみれば、あれからちょうど十二年だった。

最初に Ortega Elementary に連れて行かれたときは唖のように黙って毎日を過ごしていた自分が、今こうしてアメリカに来て、旅の途中で飛行機が欠航になってもさして動じず、代わりに列車の切符やホテルの部屋を手配し、空港や駅やホテルの間をタクシーで移動し、ひとりで知らない土地に出かけるのに、たいして不安を感じないのは、おとなの年齢になっていることもあったし、あまり後先のことを考えない性格もあった。「殿」と一緒だったので、こうした事態もふたりの冒険のうちと、むしろ楽しむくらいの気持ちでいられるのもたしかだった。

しかしなによりの理由は、自分が英語で用を足せるという自信があるからだった。わからないことが浮上すれば、だれかに訊けば済む。そう思えることは、絶対的な特権だ。

ふたりともアメリカの大学院でアメリカの歴史や文化を学びに出かけるところだとはいえ、小さな地方都市の公立高校出身の「殿」よりも「帰国子女」の私のほうが英語力がはるかに上だというまぎれもない事実は、まだつきあい始めのふたりの関係に、重要な要素として作用した。私のほうが少し年下で、日本の大学では同じ研究室の後輩でもあった。

ここで私の英語力が「殿」と同レベルまたはそれ以下だったら、私がなにかにつけ「殿」を頼ることになっただろう。いまは「殿」が私のことを好きだ好きだと言ってくれていても、そんなに依存されたらそのうち面倒に感じるようになるだろうし、私だって、ふたりの関係がそんなふうに不均衡に展開するのはまっぴらごめんだ。でも英語ができるおかげで、私は「殿」にくっついて行動していても、「殿」のお荷物になることはない。むしろ困った状況を私が解決することだってたくさん出てくるだろう。じっさい、サンフランシスコでの数日間も、このカオスな移動の最中も、「殿」は私のことをなにかと頼りにしているようだった。

英語ができなかった自分と、英語ができるようになってからの自分は、同じ身体をして同じ地球上を歩いていても、まったく違う人間だった。


意気揚々として乗り込んでいったものの、大学院生活がいざ始まってみると、そんな気分はシュルシュルと音を立てるように萎んでいった。

ニューイングランドの紅葉は、話に聞いていたとおり、うっとりするような美しさだった。一帯の樹々が色づくと、煉瓦造りの十八世紀や十九世紀の建物だけでなく、Graduate Center という名前と同様、なんの意匠も洒落っ気もない、コンクリート打ちっぱなしでイカつい趣の大学院生寮でさえ、風情のある建築物のように見えた。

「殿」に会いにいく途中にボストンの Copley Square で買った黒のブーツとジャケットにスカーフ姿で、色とりどりの葉が落ちている通りを歩いていると、自分まで素敵になったような気になった。でも残念なことに、そんなおめでたい気分でいられるのは数週間だけだった。

美しい秋は、残酷なほど短かった。

十月に入るとたんに日が短くなり、授業が終わってGraduate Centerに歩いて戻る頃には、まだ五時過ぎなのにあたりはまっ暗で、冷たい空気に足音まで吸い込まれていった。日ごとに増す寒さと暗さに比例して、私の気分もどんどん沈んでいった。

それぞれの授業で毎週一冊のペースで課されるリーディングは、内容は興奮をおぼえるようなものが多かったが、いかんせん量が多い。overwhelmingという単語の生々しさがよくわかった。大学受験のときにすら、寝る時間を削って勉強したことなどなかったのに、数時間しか眠らずひたすら課題を読む日が、くる日もくる日も続いた。だが、そうやって準備していざ授業に出てみると、みんながなにを議論しているのか、自分でも呆れるほどさっぱり理解できない。Ortega Elementaryでの日々のように、英語が理解できないのであれば、まだ納得がいくところだったが、そうではなかった。

ときおり知らない単語は出てくるとはいえ、話が聞き取れないとか、そういった類の問題ではなかった。日常会話には不自由しないし、本の内容もだいたいは把握しているはずなのだから、発言はできなくても、ほかの人の言っていることくらい、おおむね理解できてもよさそうなものだった。それなのに、いったいなにが論点になっていて、みんながなにをそんなにムキになって話し込んでいるのだか、まったくフォローできない。期待や興奮が、焦燥感と無力感、そして頭の先から爪先までを覆う絶望感へと変わっていった。

学期が半ばに差しかかった頃、相も変わらず理解できない授業が終わり、Graduate Center の部屋に戻って、カバンを机に置いてベッドに横になった瞬間、ふと溜息とともに涙が出て止まらなくなった。ほかの日にくらべて、とくべつ辛いことがあったわけでもないのに、ただただ涙がほとばしり出た。それでも、泣いている場合ではない。翌日の授業のためのリーディングも山ほどあるし、課題の小論文も書かなければならない。自分はなんのために今ここでこの勉強をしているのだろうと考えたり、生の感情に向き合ったりする時間もない。泣きべそをかいている暇があったら、本を読まなくてはならない。

どんどん日没が早くなるうえに、さっさと食事を済ませてリーディングに集中したいのとで、カフェテリアに行く時間が、日ごとに早くなっていった。

＊

「殿」を「殿」と呼ぶようになったのは、水村美苗の『私小説 from left to right』に「美苗」の恋人として登場する「殿」にちなんでのことだ。

図書館で勉強に疲れて、新聞コーナーの一角に陣取り、日本語の新聞を二週間ぶんほどまとめ読みしていたとき、『続明暗』で話題を呼んだ水村美苗が、こんどはバイリンガル私小説を書いたという記事が目に入った。どうやら主人公はニューイングランドの大学で大学院生をしているという設定らしい。これはまさに、いまの私のために書かれたような小説ではないか。そう思って、母親に頼んで単行本を送ってもらった。

これはひとりで楽しむだけではもったいない。十ページほど読んだだけでそう確信した。

「ねえねえ、一緒に読もうよ～」

勉強の合間に、寮の狭いベッドに「殿」と並んでうつ伏せに寝そべって、本を広げた。ページをめくろうとすると「ちょっと待ってよ」とその手を遮られたり、早く次を読みたいので「まだ～?」と言うと「もうさっきから、そっちが読み終わるのを待ってたよ」とムッとされたりと、ふたりで一緒に本を読むのはなかなか面倒だったが、ふだんは小説をあまり読まない「殿」も、おおいに引き込まれているようだった。

「たしかに、銀座の宝くじ売り場に並んでる人と、こっちで宝くじ買ってる人の様子は違うよね」

「う～ん、たしかに」

「フフ、猫、『吾輩』っていうんだね、オモシロイね」

「うん」

そんなやりとりをしながら、私たちは『私小説』を一緒に読み進めた。

ふたりの「殿」の最大の共通点は、英語だった。バイリンガル小説と謳われるように、あちこちに英語が出てくる『私小説』のなかで、「殿」が発する英語はカタカナで書かれている。

「嗚呼、こんな風に描かれて『殿』が可哀想だ、僕は『殿』の気持ちがよくわかる」

「吾輩は殿である」

こちらの「殿」は、冗談とも本気ともつかない口調でこぼした。

私が「殿」を「殿」と呼んでもべつだん機嫌を損ねなかったのは、小説で「眼鏡をかけた秀才の『殿』は背が高く色が白く性格も優しくしかもとても善い人」として描かれていたこともあるだろうし、あちらの「殿」の実在モデルがじっさいにとても素敵で立派な人物であるのを知っていたこともあるだろうが、こちらの「殿」が、自分の英語力を客観視していたからでもあるだろう。

あちらの「殿」はイェールで経済学を教えていたが、こちらの「殿」もハーバードで歴史学を学んでいたくらいだから、英語を読むぶんにはとりわけ支障がなかったが、話すことと書くことにかけては、絵に描いたようなジャパニーズ・イングリッシュだった。やがてわかってきたのだが、アメリカの大学院に留学してくる日本人男性、とくに企業や官庁からの派遣でやってくる男性たちは、なぜかおしなべて日本人女性よりも英語が苦手だった。しかも、その苦手な英語で格好悪い姿を見せることのないような立ち振る舞いをする人が多かった。

それにくらべて「殿」は、格好をつけようとすることもなく、必要なときにはためらうことなく私の助けを借り、それでいて驚くほどいろいろなことをひとりでこなしていた。英語が上手くないだけでなく、車の運転もしないにもかかわらず、飛行機や列車を乗り継いでひょこひょことあちこちに資料収集に出かけていくのにも感心した。

週末はいつも、私が「殿」のところに出かけていくか、「殿」がプロビデンスにやってくるかのどちらかだった。

ブラウンよりもはるかに規模が大きいハーバードには、大学院生用の寮もいくつもある。「殿」が入ったのは、名前からしていかにも小さそうなChild Hallという寮で、部屋はGraduate Centerの私の部屋に負けずと狭かった。これまたなんの変哲もない長方形の建物だったが、いろいろな相談に乗ってくれたり、非常時に対応したりしてくれるResident Advisorなる人物も各フロアにいて、Graduate Centerより面倒見がよさそうだ。「殿」のフロアのResident Advisorは、Guyという普通名詞だか固有名詞だかわからないような名前の、化学専攻の学生だった。やたらと背が高く、水泳の選手でもあるらしい。なんの翳《かげ》もコンプレックスもないように見える、まっすぐで気前のいい性格のGuyは、「殿」が課題論文の英語を見てもらえないかと頼むと、自分の専門とはまるでなんの関係もない内容の文章を、嫌な顔ひとつせず親切に直してくれていた。

あるとき、「殿」の部屋にあったムンクの「叫び」をモデルにした空気人形――そういった妙ちきりんなものが「殿」の部屋にはところせましと詰まっていた――をGuyの部屋の前に置き、トントンとドアをノックしてから、走って「殿」の部屋に戻った。Yeah! と返事しながら扉を開けるGuyが「ギャー」と叫ぶのを、「殿」とふたりでドアの隙間から見て、大笑いした。そんな小学生のような悪戯で心底楽しめるくらい、勉強ばかりの禁欲的な毎日だった。

ようやくThanksgivingになり、数日間だけだが、休みが訪れた。

Thanksgiving当日には、ボストン郊外に住む「殿」のホストファミリーの家に、ふたりでお呼ばれした。夫婦の人柄も家の調度も、すべてにおいて品が良かった。なるほど、ハーバードの留学生のホストファミリーをかって出るような人たちというのは、こういう暮らしをしているのか。

long weekendはまだあと三日間残っていたが、学期末の課題も迫っているので、私はその翌朝にプロビデンスに帰った。その日の夜、いつものように、長距離通話料金が安くなる深夜十一時を過ぎて電話をすると、「殿」はなにやらたいへん怒っている。「殿」が報告したその日のできごととは、こうだった。

休暇中、アメリカ人の学生たちはほぼみんな里帰りしてしまうので、寮の学生がふだん使っているカフェテリアはすべて閉まるが、キャンパスに残る学生のため、学部生用の食堂がひとつだけ開いており、大学院生はいつもとは別の、その食堂で食べるようにとの通知が届いていた。「殿」は指示どおりその食堂に出かけ、ふだん使っている学生証兼食券を受付で差し出した。すると、受付に座った大柄な黒人のおばさんが、「このカードはこの食堂では使えない」とぶっきらぼうに言って、そのカードを突き返した。

「殿」はひるまず、「休み中は大学院生用の食堂が閉まっているからここに来るようにと指示があった」という意味の文を、急いで頭のなかで英作文して口にした。しかし、どっしりと座ったままのおばさんは表情ひとつ変えずに、「そんなことは聞いていない、許可されていない人を入れるわけにはいかない」の一点張りだった。

この食堂に来るようにと記された通知の紙を、「殿」が持ち歩いているわけもない。ここに来るようにと言われたのだ、いいや、そんな話は聞いていない——そんな平行線のやり取りが続くうちに、「殿」はだんだんと怒りが高まり、「連絡されたことを聞いていないのはそちらのほうじゃないか、こっちはちゃんとミールプランの料金を払っているのだからここで食べる権利がある」というようなことをまくし立てた。

平日なら「マネージャーを出せ」と要求するところだろうが、サンクスギビングの週末にマネージャーは出勤していない。おばさんは途中で面倒臭くなったのか、虫を除けるような手つきで「もういい、行け」と、けっきょく「殿」を通した。「殿」はなかに入り、山のように積まれたトレーを一枚手にとって、その連休中は毎日出てくると思われる七面鳥やらクランベリーソースやらを皿に盛り、がらんとした食堂の大きなテーブルにひとりで座って食べた。この食事のためにあんなやりとりをしたのかと思うほど、不味い食事だった。

うん、うんと小声で相槌をうつ私を相手に、電話の向こうでそう語りながら、「殿」は怒りが再燃している様子だった。

「殿」は怒ると、色白の顔が赤くなる代わりに、むしろさらに白くなる傾向があったが、もともと苦手な英語が、混乱と昂《たかぶ》りでさらに崩壊していく様子が目に浮かんだ。そして、蒼白い顔と頼りなげな身体に、かなり手垢にまみれた厚手のダウンジャケットを着たアジア人が、なにやらわけのわからないことを主張するのを前にして、長年食堂のレジで働いている黒人のおばさんが、こいつはどさくさに紛れてただ飯にありつこうとしているのだろうと、疑いを深めていく様子も想像できた。

ここで「殿」にかけるべき言葉が私にはわからなかった。

クリスマス休みにはマイアミに行こうと、私は「殿」を説得した。

雪に埋もれたニューイングランドをとにかく離れて、陽の照る場所で休暇らしい休暇を過ごしたかったのだ。マイアミには私も「殿」も行ったことがないが、私が二年前に参加した学生会議で友達になったEricが住んでいる。連絡をとってみると、休みにはガールフレンドと旅行に出かけるので、来るのならそのあいだマンションを使ってくれてよいと言ってくれた。

Eric は、空港まで迎えに来てくれた。いかにもマイアミを舞台にした映画やテレビ番組に出てきそうな大きな車で、そうだ、空とはこういうものだったと思い出させてくれる青空の下を走って、プールつきの高層マンションに到着した。

泊めてもらうのをためらわない程度に親しくはあったものの、家に到着してみると、私は Eric のことをまるで知らなかったのに気づいた。彼が Jewish であることは、学生会議の最中に自分でなんども言っていたので知っていたが、Jewish といわれて私が具体的に思い浮かべるのは、十年前にカリフォルニアで Rochelle の bat mitzvah に行ったときのことくらいで、Jewish であることが Eric にとってどんな意味をもっているのかは、まるで理解していなかった。

マンションのなかを案内しながら、ここにこれがあって、これを使うにはこうやって、と説明してくれるのを聞きながら、私たちは Eric が kosher の食事を遵守していることを知った。なんでも自由に好きなものを食べてくれてよいが、食材によっては別の食器を使うようにとも言われた。Eric は Shabbat も遵守するのだとも知った。

とうぜんながら、マンションにクリスマスツリーはない。Jewish の人たちがクリスマスを祝わないことくらいは知っていたものの、これまで十回のクリスマスを日本で過ごしていた私には、こうして意図的にクリスマスを祝わない人たちがいることが新鮮だった。背丈も横幅も大きく、外向的でパーティ好きな白人のEricのことを、私は典型的な「アメリカ人」だと思っていたのだが、そうした特徴と宗教戒律を真面目に遵守することが両立するということにも驚いた。

善良なEricは、初対面の「殿」にも温かく親切だった。

Ericが旅行に出かけてしまうと私たちは交通手段がなくなるので、まとめて食料を買っておいたほうがよいだろうと、Ericは私たちをスーパーに連れて行ってくれた。スーパーの品揃えは、ボストンやプロビデンスのスーパーとさほど変わりばえしないものの、いる人の種類が違うと、その人たちが物色している商品までなんだか違って見えるのが不思議だった。

ブドウの山の前で、Ericは「殿」を名前で呼びかけて訊いた。

「紫と緑と、どっちが好き?」

パープル。短い中にrとlの両方がある単語の発音は「殿」にはとりわけ難しかったが、わざわざ名前を言って話しかけてくれたEricに、「殿」は真面目な顔で答えた。Ericは無言で頷いて、紫のぶどうをカートに入れた。

その夜、Ericにおやすみを言ってからゲストルームのベッドに入ると、「殿」が天井を見ながらぽつりと呟いた。

「エリックさんは、いい人だねえ」

あまりそういう類のことを言わない「殿」が、エリックに「さん」をつけて、しみじみとそう言った。Ericは緑のブドウのほうが好きなのにもかかわらず、「殿」のために紫のブドウを買ってくれたのがわかったのだが、緑も好きだからそちらを買うようにという英語がすぐに口から出てこなかったのを、「殿」は申し訳なく思っているのだった。


翌日、Ericがモデルのように美しい金髪のガールフレンドと旅行に出かけると、車のない私と「殿」の行動範囲はとてつもなく狭まった。さいわいにしてEricのマンションは、観光客の集まるビーチの徒歩圏内だった。

私たちは、パステルカラーのアール・デコ調の建物が並ぶ大通りを歩いた。これまでこんなにたくさんスペイン語を見聞きしたのは、数年前に中高時代の同級生とスペインを旅行したときだけだった。

温暖な気候を期待してマイアミにやってきたものの、ほんとうにここまで暖かいとは想像しておらず、私は水着を持ってきていなかった。通りには、水着の店がいくらでもある。立派なお店は気後れするので、入り口のドアが開け放たれた、庶民の匂いがするお店に入ってみた。ごちゃごちゃした店内には、派手な水着がラックぎゅうぎゅうに架けられている。私は、胸のあたりに波のような模様が金色で入っている黒の水着を手に取り、それ以上あれこれ物色するのも面倒で、試着もそこそこに、それを買うことにした。

レジカウンターの後ろでは、プエルトリコ人だかドミニカ人だかキューバ人だかメキシコ人だか、数人のおじさんたちが、スペイン語でにぎやかに話している。私は水着をカウンターに置いて、このままビーチに行くので値札を外してくださいと言った。おじさんは無表情のまま値札をハサミで取り、捨てていいかと訊く身振りをした。イエスと言うと、おじさんはその値札を後ろのゴミ箱に入れた。

サインするよう差し出されたクレジットカードのレシートを見ると、私が思っていたよりも高い値段が書かれていた。私はおじさんにそう言った。

おじさんは憮然として、断固とした口調でなにか言ったが、私にはその言葉が聞き取れなかった。英語で話しているのかスペイン語で話しているのかも判然としなかったが、それは相手の発音が悪いからなのか、私の聞き取り能力が低いからなのかもわからない。

「値札は五十九ドルって書いてあったと思ったんですが、見まちがいだったかもしれません。ちょっと確かめようと思って」

なるべく平静を保って説明した。

おじさんはこんどは怒りを露わにして、大声でなにやらまくし立てた。アクセントの強い英語らしいが、なにを言っているのかは、相変わらず聞き取れない。カウンターの向こうにいるもうひとりのおじさんも、一緒になってなにか言いはじめた。店内のほかの客がこちらを振り向いているのがわかった。

「いいから、サインして、もう行こう」

私のすぐ後ろに立っていた「殿」が、小さな声でそう言って、店の外に向かって歩きはじめた。私は「殿」の言うとおりにサインをして、水着の入った袋を手に取り、「殿」のあとを追った。お店のロゴが入った買い物袋ではなく、スーパーで野菜を入れるような、薄っぺらいプラスチックの袋だった。

ビーチに行くかわりに、私たちはそのままEricのマンションに戻ることにした。燦々と陽の注ぐ道を歩いているあいだじゅう、ふたりともなにも言わなかった。半歩前を歩く

「殿」の背中から、憤怒が伝わってきた。

　私が値札を見まちがえただけのことかもしれない。おじさんは正当な値段を請求したにもかかわらず、私に変な言いがかりをつけられたと思ったのかもしれない。だとしたら、おじさんが怒るのも至極当然だろう。でも、おじさんが私のことを日本人観光客だと思って、値札を捨てて、じっさいの値段より高い額を請求したという可能性も、ゼロではないような気がする。世界じゅうで、日本人観光客は山のように買い物をすると知られていた。観光地ではそうした日本人、とくに英語が不自由な日本人を狙った大小の事件も起こると話に聞いていた。

　おじさんがそんな詐欺をはたらく可能性を考えたことだけでも恥じるべきなのだろうか。それとも、外国人、アジア人女性ということでカモにされたのかもしれないということに憤慨するべきなのだろうか。判断のしようがなかった。これまでの一学期間、朝から晩まで人種やエスニシティや階層や移民について勉強しておきながら、この街に住んで小さな商店で働いているスペイン語を話すおじさんが、立派な大学からバケーションでやってきた大学院生を騙したのかもしれないという可能性を考えてしまう自分に、嫌気がさした。

　お店のカウンターで「殿」が私の隣に立ってくれなかったことも、帰り道じゅうずっとなにも言わなかったことも、さらに私を惨めな気持ちにさせた。「殿」は私以上に状況を理解できなかったということも、助けの手を差し伸べられないのでいたたまれなかったということも頭ではわかったが、私は自分の惨めさで頭がいっぱいだった。

押し黙って歩きながら目に入る看板や標識は、スペイン語ばかりだった。意味がおおよそ想像できるものもあったが、ほかはさっぱり読めなかった。

＊

思えば、寝そべって『私小説 from left to right』を一緒に読んでいた頃が、ふたりの関係が一番いい時期だったのかもしれない。

なんどもくっついたり別れたりを繰り返しながら、それまでの人生で一番たいへんだった時期を、私は「殿」と一緒に過ごした。お店やパーティでの会話や論文の英作文で私が「殿」を助けることもよくあったけれど、「殿」がいなかったら、私はわざわざ博士課程まで残って辛い大学院生活を何年間も続けはしなかった。「殿」は、私がほかのだれにも見せたことのない弱さや醜さも、溜息ながらに受けとめてくれた。そして、ほかのだれにも指摘されたことのなかった、自分自身でも気づいていなかった、私の美徳も認めてくれた。濃密な年月だった。

しかし、というべきか、そして、というべきか、『私小説』の「殿」と同じようにこちらの「殿」も、日本の大学に就職が見つかると、いつ博士課程が終わるかわからない私を置いてさっさと帰っていってしまった。

ニューヨークのクリスマス

ある年のクリスマス休み、その頃プロビデンスで仲良くしていた日本人男性三人と一緒に、ニューヨークに出かけた。クリスマスのデコレーションでいっぱいのニューヨークは、やはり心が躍る。肌を刺す冷気も、休暇で盛り上がる人々の熱気で和らいでいるように感じられた。

ホテルに停めるより少しは安いからと、坂上さんの運転で私たちが乗ってきたカムリは、五ブロックほど離れた有料駐車場に預けてあった。愉快な三日間を過ごしたあと、後ろ髪をひかれながらホテルで荷物を引き取り、私たち四人はキャスター付きのキャリーオンバッグをごろごろと引っ張って、オレンジ色の縁取りに黒い大きな文字でGARAGEと書かれた看板のある駐車場に向かった。いつもはちょっと柄が悪そうに振る舞っているけれどじつはやさしい山口さんは、小さい甥と姪のために買ったプレゼントが入った、大きなFAO Schwarz の紙袋も抱えている。

駐車場に着くと、坂上さんがポケットの財布から車のチケットを出して、隅にあるブースの窓口に出した。車を出してもらうだけなら英語の助け舟も必要なかろうと、私はほかのふたりと一緒に通りに立ったまま、緊張感と華やかさの混じるニューヨークの空気に名残惜しさを感じながら、頭上の GARAGE の文字を眺めていた。視線をおろすと、いつもの小さな声でイエス、イエスと言いながら、坂上さんが支払いを済ませているのが見える。ブースのなかにいる無愛想なおじさんは、色黒の白人なのか色白の黒人なのか、あるいはラテン系、または中東系なのか、チラッと見ただけでは判断がつかなかったが、近くには車の出し入れをする黒人の兄ちゃんたちが数人、待機していた。

少しすると、鉄のドアが音もなく上がり、奥から坂上さんのベージュのカムリがレールに乗って出てくるのを見て、私たち三人は荷物を引っ張って車に近づいた。キーを受け取った坂上さんが運転席のドアを開け、なかのボタンでほかのドアを開錠すると、山口さんがトランクを開け、みんながそれぞれの荷物を入れた。私はさっさと後ろの右側の席に座って、バタンとドアを閉めた。ほかの三人もそれぞれの席についた。

「じゃ、行きますか」

坂上さんがだれにともなくそう言って、エンジンをかけようとしたときだった。車の前方からググッという音がして、坂上さんはキーを握った右手をもとの位置に戻した。あれ、と言って坂上さんはもう一度、キーを奥に向かって回したが、やはりググッという音がするだけで、エンジンはかからない。車内にわずかな緊張が走った。が、だれもなにも言わなかった。坂上さんはふたたびキーを回し、こんどはその手を奥の位置で押さえたままにしたが、ググッがギーッというような音に変わるだけで、相変わらずエンジンはかからない。

「なんだよ、これ。バッテリーあがってるよ。こいつら、電気でも点けっぱなしにしてたんだろう」

坂上さんの口から出たのは、苛立ちを通り越した攻撃的な声だった。そして、忌々しげに前を向いたまま、坂上さんはさらに言った。

「マリさん、バッテリーがあがってるって言って」

＊

これまでにもニューヨークには何度か足を伸ばしてはいたが、ホリデーシーズンにおのぼりさん的な観光をするのは、これが初めてだった。

博論執筆中の私とポスドクの坂上さんは、休みも関係なく研究や執筆の日々だったが、企業派遣で留学してきている山口さんと高梨さんは、学期の合間にはなんの義務もなく、プロビデンスにじっとしていてもとくにすることもない。私はまだ数年は大学院生活が続くが、男性三人にとってはこれがこちらで最後のクリスマスシーズンなので、せっかくだからちょっと遊びにいこうという話になったのだった。

車を運転して行けば、交通費はガソリン代だけで済む。スイートルームを取って、私がエキストラベッドで寝れば、ホテル代は私よりずっとお金のある男性陣が払ってくれるという。朝早めにプロビデンスを出て、昼にニューヨークに着き、翌々日の夜に戻ってくれば、時間もお金もそれほどの浪費にはならないだろう。ふだん勉強ばかりのストイックな生活をしているのだから、それくらいしても罰はあたらないはず。

クリスマスのデコレーションでいっぱいのニューヨークの街は、やはり心が躍る。綺麗なホテルに泊まり、おのぼりさんらしく Rockefeller Center でスケートをしたり、着飾って立派なレストランで食事をしたり、Radio City にショーを観に行ったりして、楽しくないわけがなかった。そこそこにお金があり、コートや毛糸の帽子や手袋やブーツがあり、道を歩いたり階段を昇り降りしたりするのに不自由しない身体があり、社会の不均衡や人種問題などには一時的に目をつぶって、街という贈りものを期間限定で楽しむひとたちにとって、ニューヨークは果てしなく愉快な場所だ。どこに行くときにも私が英語係だったが、タダでホテルに泊めていただいているのだからそれくらいは当然だと納得していた。同行の少し年上の三人の男性たちに自分が気に入られているという安心感もあった。

そうやってしばしのバケーションを満喫して、じゃあそろそろ帰ろうかというときのことだった。

＊

当然のような口調での坂上さんの指示を受けて、私は仕方なくドアを開けて車を出て、背の高い黒人の兄ちゃんたちに向かって歩いていった。ほんの数歩の距離であったから、彼らがこちらを見ていれば、エンジンがかからずに困っていることにはすぐ気づいただろうが、私たち日本人観光客にまるで興味のなさそうな彼らは、黒人らしい言葉と手足の動きでなにやら話しこんでいる。私が目の前に立つと、やっとこちらに目を向けた。

「あのう、バッテリーがあがっちゃってるみたいで、エンジンがかからないんですけど」

私は車のメカにはまったくの無知無関心で、メンテナンスのたびに、修理工に言われるがままに修理をしてもらい、言われるがままに大金を払うのが常だった。このときも、無能無力が全身から滲み出ているのが自分でわかった。無能無力でないのは、「あのう、バッテリーがあがってるみたいでエンジンがかからないんですけど」と英語で言えることだけだった。

Huh, let's see.

寒いのにこんな格好で大丈夫なのかと大きなお世話ながら心配になるほど薄手の黒いジャンパー姿の兄ちゃんは、すらっと長い脚で車に向かった。車の前を通って運転席側にまわるとき、内側の手でそっとボンネットに触れながら曲がる、ただそれだけの身体の動きが、日本人とはまるで違う。

俺がやってみるからちょっと出ろと言われて、黙って車から出た坂上さんの顔は白く硬直していた。兄ちゃんは、坂上さんがしたように何度かキーを回したが、やはりバッテリーがあがっている、ジャンプスタートしなくちゃダメだ、きみたちがＡＡＡに入っているなら電話して呼んでもいいけど、奥にケーブルがあるから、ほかの車とつないでスタートしてやろう、ちょっと待て――そう言って、車を出た。そして、相変わらずあまり関心のなさそうな表情でこちらを見ているブースのなかのおじさんと、そばに立っているほかのふたりに、長い腕を大きく振り回しながらなにやら指示を出した。

面倒なことになった。

とはいえ、車が動かないのであれば、動くようになるまではどうすることもできない。私は車の横で、相も変わらず無力さを露呈したまま突っ立っていた。坂上さんはドアを開けたまま、ふたたび運転席に座っている。山口さんと高梨さんは、もとの席に座ったままだった。

「せやけど、二日間置いてあっただけやのに、なんでバッテリーがあがるねん」

助手席の山口さんが言った。

「気温だってそんなに低くないですしね。それに屋内のガレージだし。でも、バッテリーと気温は関係ないか」

高梨さんも言った。緊張した空気を少しでも和らげようと、なにかしら口にして間を持たせているのが伝わってくる。そんなふたりの努力をまったく意に介せず、坂上さんは怒りを露わにして、低く冷たい口調で言い放った。

「あいつら、ライトを点けっぱなしにでもしてたんだろう」

だれもなにも言わなかった。

だれのものだかわからない車がさっきの鉄のドアの向こうから出てきて、兄ちゃんがそれをカムリと対面する位置に停めた。もうひとりの男性が、どこかから出してきたケーブルを兄ちゃんに手渡す。兄ちゃんが坂上さんに、ボンネットを開けるように身振りで指示する。こういう事態はよく発生するのだろうか、バッテリー同士をケーブルでつなぐ手つきは、慣れたものだった。

ほかの男性たちが側に立って見守るなか、兄ちゃんは金具がきちんと装着されたのを確認すると、

OK, now turn the key! と、運転席の坂上さんに、口と手振りで言った。

これでもエンジンがかからなかったら、いったいどうなるのだろうと、私と山口さんと高梨さんは不安で凍りついていたが、ブルルンという音がして、あっさりエンジンがかかった。私たちを包んでいた空圧が、一気に下がった。

「よし！　これで数十分エンジンがかかっていれば大丈夫、きみたちはこれからしばらく運転するんだろ」という兄ちゃんに私は、

「はい、ロードアイランドまで、三時間半くらい」と素直に答えた。

文句を言うべきなのかお礼を言うべきなのか、状況がよく把握できないが、とにかく無

事にここを出て帰途につけるという安心感から、Thank you! と言って、後ろの席にまた座り、ドアを閉めた。

「はあ、やれやれ、ビックリしたぁ」

大きな溜息とともに言った。ま、行きましょうかと、言葉にするでもなくしないでもなく、山口さんと高梨さんも席に落ち着いて、一度外していたシートベルトを締めた。

落ち着かないのは、坂上さんだけだった。

「ライト点けっぱなしにしてバッテリーがあがったんだったら、今は動いても、バッテリーは消耗してるだろう。バッテリーの費用を弁償しろって言って」と言い出した。

「そんなこと、してくれるわけないじゃん」

私は呆れて言った。

「このバッテリーは今年買い換えたばっかりだから、なんにもしないのに二日置いてるだけであがるってことはあり得ない。あいつらが、ライトだかラジオだか、点けっぱなしにしてたんだろ」

「なんで、ガレージの中でライトだのラジオだの点けるのよ、そんなのおかしいじゃん」

「おかしいから言ってるんだろ。弁償しろって、言ってよ、マリさん」

「言わないよ、そんなこと。もう、早く行こうよ」

私はムッとしているのをあまり露骨に出さないようにと、一応我慢して言った。

「いいから、言ってよ。バッテリーって、安くないんだよ。なんでこいつらのせいで、替えたばっかりのバッテリーに、俺がまた金かけなきゃいけないいんだよ。弁償するべきだろ、こいつら」

「だって、ちゃんとエンジンかかってるじゃん。バッテリーまた替えなきゃいけないなんて、わかんないじゃん」

だんだんとこちらの声まで大きくなった。ふだんはどちらかというと気弱そうな声でボソボソと話す坂上さんが、なぜ急にこんなに強気でわけのわからないことを主張しているのか、まるで理解できない。すぐそばにいるひとたちのことを「こいつら」呼ばわりしているのにも、無性に腹が立った。バッテリーがあがって車が動かないのなら、本来はAAAを呼ぶべきところを、その手間を省くためにわざわざほかの車やケーブルを持ってきて助けてくれたことに、むしろ感謝するべきではないのかと、私は心のなかで急に兄ちゃんの味方になった。

エンジンがかかってみんな席についているのに、なぜ私たちが出て行かないのだろうと怪訝に思ったらしい兄ちゃんが、またこちらに歩いてきた。運転手席の外でかがみ、なかの私たちを覗きこむ。

Hey, everything alright? You're all good to go!

黒人の兄ちゃんらしい声音が、窓越しに聞こえる。坂上さんは窓を開けた。

「ほら、マリさん、言って」目は前を向けたまま、私のほうに首を少しだけ向けて言う。

兄ちゃんも私のほうを見て眉を上げ、What's up? と言う。仕方なく私は言った。

「ライトかラジオを点けっぱなしにしていたからバッテリーがあがったんだろうって、バッテリーの費用を弁償してほしいって、彼が言ってます」

三人称単数の主語を使って、私は坂上さんの言うことを通訳しているだけだということを強調した。

その場のだれにでも予測できたように、兄ちゃんは言った。

「そんなことはない、もう動いてるじゃないか。出発すればいいじゃないか」

私が言いたい台詞だった。そのくらいは私が通訳するまでもなく坂上さんにもわかるはずだと、私はなにも言わなかった。

それでも坂上さんは諦めなかった。

「なにもしないのに二日でバッテリーがあがるわけがないって言って」

兄ちゃんの顔を見ずに、後ろの座席の私に向かって言う。仕方なく私は、またしても通訳した。ふたたび誰にでも予想できたように、兄ちゃんが言った。

「そんなことは知らないよ。バッテリーが古かったんだろう。ちゃんとジャンプスタートしてやったじゃないか」

前より声が大きかった。それまで興味なさそうにしていたほかのおじさんたちも、いったいなにをしているのかと、ゆっくり私たちのほうに向かって歩いてきた。

「バッテリーは古くないって言って」

坂上さんは続けた。

私はなにも言わなかった。

「ほら、マリさん、言ってよ」

冷え切った車のなかで、形容しようのない憤りが、足元から頭まで猛スピードで湧き上がってくるのを感じた。私はなにも言わなかった。

「ねえ、マリさん！」坂上さんは、こんどは私に苛立ちを向けた。

「そんなこと、言いたいんだったら、自分で言ってよ！」

私は大きな声で言った。いったいこの日本人たちはなにをしているんだろうと、車のまわりに集まった兄ちゃんたちが怪訝な目つきでこちらを見ている。顔が赤くなっているのが自分でもわかり、私はだれもいない斜め前に顔を向けた。

やがて、助手席で凍りついている山口さんが言った。

「ようわからんけど、もうええやん、エンジンかかったんやから。行こ、坂上さん」

「うん、行きましょう。遅くなるし、こうやってても、らちが明くとは思えないし」

私の隣に座っている高梨さんも言った。

味方がいないのを悟った坂上さんは、仕方なく兄ちゃんが覗き込んでいる窓をビーッと閉めて、ムッとしたままなにも言わず、ハンドブレーキを解除してギアをDに入れた。

私たちの乗るカムリは、Midtown からブロードウェイを北上し、途中でハドソン川沿いのパークウェイに乗った。交通量は多かったが、夜なので渋滞というほどではなく、スイスイと進んでいった。車線はアメリカとは思えないくらい狭く、かなりのスピードで車が走っている。事故がないのが不思議なくらいだった。

ずっと、だれもなにも言わなかった。

私は、じっと右の窓の外に目を向けていた。George Washington Bridge の入り口からハイウェイに乗ると、残りは馴染みのあるI-95でプロビデンスまで、まっすぐ一本だった。

ハイウェイに乗ってから五分ほどたっただろうか。ポロリと涙が出た。いったん落ちた涙は、またポロリ、そしてまたポロリと続いた。泣いていることを気づかれたくなかったので、音も立てずず身体も動かさないようにしていたが、じきに鼻水も出てきたので、そっと啜《すす》らないわけにはいかなかった。

隣の高梨さんが気づいてこちらに顔を向けたが、私が気づかれまいとしているのを察して、なにも言わなかった。そうして私が十秒ごとくらいに静かに鼻を啜っていると、坂上さんが顔を少し上げて、バックミラーを覗きこみながら、

「あれ、マリさん、どうしたの?」と呑気な声を出した。私はなにも言わなかった。こんどは山口さんも振り向いて、こちらを見た。みんなの視線が集まると、ますます涙と鼻水が出てきた。

ガレージでのやりとりが頭のなかでさっきからなんども再現され、自分でもうまく言葉にできない思いが、身体のなかを急流のようにめぐっていた。

──私たちはクリスマスをニューヨークで過ごしにきた小金持ちの日本人観光客、相手はクリスマス休暇も駐車場で働く黒人だった。そのことの意味を坂上さんはわかっているだろうか。あれ以上、あの場でやりとりを続けていたら、バッテリーの弁償云々の問題ではない事態に発展していたことを、坂上さんはわかっているだろうか。わけのわからない文句をつける日本人男性と、さっさと私たちを出て行かせようとする黒人男性のあいだで、なぜ私が矢面に立たされなければいけないのだろうか。そもそも私が男だったら、坂上さんはあんな指示を出しただろうか。そして相手が黒人でなく白人だったら、あんな無茶なことを主張しただろうか──

「マリさん、泣いてるの？　どうしたの？」という坂上さんの能天気な声を、私は無視した。ほかのふたりもなにも言わなかった。

そのまま三十分ほど沈黙のなか、私たちの乗るカムリはI‐95を北上した。なにも見えない夜のハイウェイは、昂った神経を落ち着かせてくれた。せっかくニューヨークで楽しい数日間を過ごしたのに、帰途の三時間半、まるごと気まずい沈黙のままにすることもできなかった。

私は言った。

「お腹空いた」

車中の三人が、天から神が降臨したかのように安堵したのが感じられた。

「マリさん、お腹空いたの？　でも、こんなとこでハイウェイ下りたって、なにがあるかわかんないよ」坂上さんが言う。

「この時間じゃ、開いてるのはファーストフードくらいしかないやろな」

「マクドナルドのサインが見えたら、行く？　マリさん」

みんな必死で空気を正常に戻そうとしている。

「ううん、いい」

「ちょっと我慢して、プロビデンスに着いたら、俺のアパートにスナックとビールくらいはあるから、みんなで一杯やろう」

残りの道中は、たわいもない会話を続けた。「スーパーマン・ビル」として知られるFleet Buildingが、下から光が照らされて前方に見える頃には、日付が変わっていた。

On Being Interpellated as Asian American

After stopping by the department mailbox, I went down to the graduate student lounge in the basement. One could always count on the company of a few fellow procrastinators there. Sure enough, there were five.

As we commiserated about writing as graduate students always do, the room broke into applause. Grace had entered the room. She was in her expensive-looking beige wool coat and had a burgundy Coach bag on her shoulder. I admired the way she always wore boldly bright lipsticks on her big lips that were unusual for an Asian woman. She was in the cohort a few years after mine, so we had never taken a class together, but I had come to be fairly good friends with her because she would regularly drive down to New York to visit her boyfriend and let me ride with her when I had a reason to go to the city, and we had nice chats during the three-and-a-half-hour drive.

Most of us in the lounge had gone to see Grace's play that was performed at the campus theatre the night before. I didn't know until I came to graduate school that American universities typically have performing arts schools or departments with theatres and concert halls, or that one did'nt need to be a performing arts major to take acting classes and violin lessons and be part of performances or even produce one. I was deeply impressed by Grace's play, both the writing and the acting, although I had somehow imagined a play that was more overtly political. I was a little surprised that it didn't deal with Asian American subject matter.

Everyone showered Grace with congratulatory words about the play.

"Oh, thanks so much," Grace accepted the praise with a shy but happy smile.

"What's next? Are you working on a new piece?" Andrew asked.

"Yeah, actually. I'm about to put out a casting call for this new play. I'm gonna try to workshop it after New Year's."

I'd never heard words like "casting call" and "workshop" used by someone I personally knew, and I felt glamorous just by hearing them in my vicinity.

"What's the new one about?"

"This one is an Asian American play. I've been staying away from Asian American topics for a while, because I thought I needed to learn to write other kinds of stories, you know. But now I'm thinking, what the hell, I'll write whatever I want to write. So I'm reworking this piece that I'd been putting on the back burner for a while."

"What's the story about?"

"Oh, I'm not ready to tell you yet. Wait six months, and you can come to the show and see for yourself!" Grace chuckled. Then her face and voice turned serious. "But in the meantime, I need a cast! Asian American cast! Do you want to do it?"

She turned toward Julie, who was sitting in front of the big computer in the corner. I liked Julie a lot. She was so smart but very down to earth and unpretentious, and there was a realness to her that I found comforting in the graduate school setting. Grace and Julie were the two Asian Americans in their cohort, though Julie's mother was white and her father Chinese.

"NOOOOO, no, no, no, no!!! Not me!!!! I can't act!!! I won't act!!! I have PTSD from the school play I was in in third grade and I'm never going on stage again, even for you, Grace."

"Okay, okay! You're off the hook!" Grace then turned around to face me. "Mari! You can do it!"

I was stunned. "What?!?! I don't know anything about acting! I've played piano on stage, but I've never been in a play! A play in English, for that matter!"

"It doesn't matter. Most people who audition for these things have never had formal training in acting." Audition?!?! Formal training?!?! What is she talking about?

"You can do it, Mari. You're poised. And your voice carries well." Grace seemed earnest.

"We're not talking about singing karaoke! This is your play! You need to get good actors who know what they're doing!"

"You'll be good. I'm sure you'll be good. Come on, Mari!"

"But you said this is an Asian American play! You should get Asian American actors! I'm not Asian American!" I said loudly and firmly.

"You're Asian American." She said this matter-of-factly, without a hint of doubt in her voice.

"No, I'm not! I'm Asian! Not Asian American!" I couldn't believe I had to say this to Grace, of all people. During all those chats on our way to New York, I had told her about my school and college days in Japan as much as she had told me about her "tales of Asian American clichés" as she called them, like her complaints about her parents in Orange County who didn't understand what she was doing in graduate school and, more importantly, were unhappy about her dating a white guy and wanted her to find a Korean American lawyer or doctor instead.

"You're Asian American," Grace repeated yet again. I didn't know whether to be annoyed or angry.

"No, I'm not!!!"

Nobody said anything as they watched this back and forth. Finally, Grace said,

"Well, okay. Let me know if you know any Asian Americans who might be interested. I need two guys and two women. I'm going to have a flyer soon and I'll give you some copies so you can give it to your friends."

Now, three decades later, I have a much better understanding of Korean history and diaspora to know that the line between Asians and Asian Americans is not that clear-cut, particularly for Korean Americans like Grace. But at the time, I felt an urgent need to refuse being interpellated—yes, by then I had learned big words like "interpellate"! Hail Althusser!—as Asian American.

But then again: Am I really not Asian American?

The Chinese Boy

「ところで、ベビーシッターのアルバイト、興味ある？」

指導教授のBobの机にはいつも本や書類が文字通り山をなしているものの、あるはずのものがどうしても見つからないと慌てている姿は見たことがない。机をはさんでその山ごしに、博士論文の草稿についてコメントをひととおりもらったあとで、唐突にそう訊かれた。

Bobは、カリフォルニアのオークランド育ちのChinese Americanで、近現代中国史研究からAsian American historyに転身したという人物だった。彼がアメリカはもちろん、当の中国にも、いや当の中国にこそ、もはや存在しないであろう、忠実な毛沢東主義者だというのは、大学院に入学した頃にほかの学生から聞いてはいたが、毛沢東主義者といえば、渋い緑の人民服と帽子で革命歌を歌っている文革時代の若者たちといったイメージしかなかった私には、なんのことだかさっぱりわからなかった。

一学期のある日、ゼミの最中に Bob がおもむろに赤い表紙のポケット版『毛沢東語録』をカバンから取りだして、Chairman Mao said……と話しだしたときには、ただでも議論についていけない授業でなにが起こっているのかますますわからず、そうか、「毛主席曰く」は英語では Chairman Mao said というのか、まあそりゃそうだ、ほかに言いようはあるまいと、どうでもよいところだけが頭に刻まれたのだった。

Bob の息子の Max は、私が博士論文に取り組む資格を得るための一大難関である Preliminary exam に合格した、ほぼ一週間後に生まれた。だから私は頭のなかで、Max の人生を自分の研究者としての道程に勝手に重ねていたのだが、額に入った Max の可愛らしい写真が Bob の机にあるのを見たことがあるだけで、会ったことはまだなかった。

生後まもない頃から今までの二年間は、週に数回、私の一学年上の Crista がベビーシッターをしていたが、彼女が結婚して夫の仕事場であるノースカロライナに引っ越すことになったので、代わりを探しているのだという。

私は戸惑った。

小さい子供の相手をした経験はほとんどなかったし、とくに子供が好きだとも思ったこともなかった。まして、アメリカでの子育てがどういうものかまるでわからない自分にベビーシッターなど務まるのか、単純に不安だった。前年やったBobの研究アシスタントのほうが、ベビーシッターよりよほど気楽な気がする。

とはいえ、Graduate Assistantとして支給されている手当は、ぎりぎり生活できるかどうかという額でしかない。少しでもアルバイト代が入るのならありがたいという思いもちらりと頭をよぎり、とりあえずCristaに話を聞いてみることにした。するとCristaは、Maxはほんとに性格が良くてかわいくて手のかからない子よと、なんども強調する。一回か二回やってみて、嫌だったらそう言ってくれればほかの人を探すからと、いつもの気安い調子で言うBobの言葉に従って、ともかく試しにやってみることにした。

Cristaの仕事最終日に、ひととおりの勝手を伝授してもらうため、それまでになんどか行ったことのあるBobの家に行った。典型的なニューイングランド風のつくりの家だった。リビングルームには中国の水墨画がかかり、ダイニングルームには、奥さんのJenniferがドイツの祖父母から譲り受けたという重々しげな家具調度や、高価そうな食器がガラス棚に並んでいて、Graduate Centerを出てからは、ほかの大学院生から譲り受けた安物の家具や日用品に囲まれてハウスメートと一緒に暮らす生活に慣れていた私には、なるほどこれがアメリカの middle class life というものかと、新しい文化に足を踏み入れたような気がした。ただし、そうした部屋を使うのは祝日の親族の集まりや来客があるときだけで、ふだんの生活ではおもにキッチンと family room で過ごすようだった。

渡されていた鍵で勝手口のドアを開けると、壁沿いの靴棚に収まりきらない小さな子供の運動靴が、床に転がっている。こじんまりとした木の丸テーブルには、郵便物やプラスチックのおもちゃが無造作に置かれている。家庭の匂いがした。近々このキッチンをデッキ側に広げる大改装をするのだと、たしか Bob が言っていた。

Hel-loooh!

なかに向かって呼びかけると、奥で Ah, Mari's here! という Crista の声がした。そして、トコトコと小さな足音が聞こえ、family room で遊んでいたらしい小さな Max が姿をあらわした。顔も身体つきも写真で見たのと同じで、かわいらしい。ほんの数秒間、こいつはなにものだろうと見さだめるような顔つきで、黙ってこちらを見ていたかと思うと、次の瞬間、ぽよぽよの顔に満面の笑みを浮かべて、Hi! と小さな手を大きくあげた。そしてすぐ、手で合図をしながら Come! と言って、family room に私を案内しはじめた。こんなに簡単に警戒心を解く子供がいるのか。

そうやって、週に二回、Max のベビーシッターをする日々が始まった。

午後、指示されたとおり、一軒家を改築して作られた保育園の裏口から入っていくと、反対側の部屋で、十数人のちいちゃな子供たちが積み木で遊んでいる。私が部屋の隅に立ってしばらく様子を観察していると、Max が顔をあげた。そして私の姿に気づくやいなや、MAAARRRIIII!!!! と大きく声をあげて、手にしていた積み木を放り投げてダダッとこちらに向かって走りより、全身で私の脚に抱きついた。ぷよっとした Max の腕と身体を腿で受け止めた瞬間、私のなかでなにかが揺れた。

保育終了時間まで、まだ十五分ほどあった。一緒にどうぞと先生に言われて、私も子供たちに混じって遊んだ。そして帰宅時間になると、正面の入り口脇に並んだフックの上に貼ってあるシールに Max という文字を見つけ、そこにかかっている赤い上着を Max に着せて、先生たちやほかの子供たちやその親たちに Bye! と言って、外に出た。

Max は、あたりまえのように、小さな手で私の手を取った。車もそれほど通らない、ごくふつうの住宅地の通りを渡るだけだったが、二歳児の歩幅でちょこちょこと歩くそのあいだ、Max は知り合ってまだまもない私の手を、なんのためらいもなくじっと握っていた。一点の曇りもない、百パーセントの信頼だった。

天気が良いので、家の庭で遊んだ。東京の感覚でいえば冗談のように広い庭だった。大きな樹にはブランコが取り付けられている。ブランコの穴にMaxのぽよぽよした脚をとおして、Ready? Ready! の声を合図に背中を押す。かなり上まで揺れても、ぜんぜん怖がらない。同じことをなんど繰り返しても、飽きた様子もみせない。同じ庭には、少し前に飼いはじめたという犬のRubyが、ボールで遊んでいる。

しばらくするとMaxが、Down! というので、その小さな身体を持ち上げて地面に下ろした。するとMaxはトコトコと歩いて、斜面になった芝生にちょこんと座り、Mari! Come! と言って、自分の隣に座るようにと、トントンと地面を叩いた。私はMaxと並んで地べたに座った。Maxがコロンと仰向けになるのに合わせて、私も寝っころがった。ふたりで大の字になって、秋晴れの空を見上げた。いろんな形の雲がある。雲の形に目を留めたのは、ひさしぶりだった。

「あの雲はなんに見える?」ときいてみると、Maxは真剣な表情でしばらく考えてから、大声でchoo-choo-train! とか、whale! とか、つぎつぎに答えた。立ち上がってしばらくちょこちょこと走りまわっていたかと思うと、また芝生に寝そべって、雲を見あげて指差しながら、What THAT one? と、まだきちんとした形にならない文を口にする。Hmm……I don't know, maybe a big bird? などと言っていると、道を渡るときと同じように、こんどは寝っころがったままで、Max がちいさな手を私の手に乗せた。

古い黄緑色の Saab が、ゆっくり角を曲がるのが見えた。そして車が driveway に停まり、バタンとドアが閉まる音がした。少しすると、カッコいいスリムなパンツスーツ姿の Jennifer が Hey guys! Looks like you're having fun! と言って、庭にやってきた。

Bob の妻であり Max の母親である Jennifer は、Bob よりひとまわりほど年下で、障がい児の教育の権利を専門にする弁護士としてバリバリ活躍していた。コンパクトな身体にベリーショートの髪型がカッコいいうえに、気負いも気取りもない様子が魅力的で、大学院生たちの憧れの的だった。

トコトコと走り寄っていく Max に、今日は Mari となにをして遊んでたの、と Jennifer が訊くと、Max は空を指差して、Look cloud! と報告した。Jennifer は幸せそうな笑みを、まず Max に、そして私に向けた。

「私、小さな子供の面倒みたことないんですけど、ほんとに私で大丈夫なんでしょうか……」

帰りぎわに私がそう言うと、Jenniferは「Bobと私もないから同じよ！」と笑って言った。

そうやって、Maxのベビーシッターとしての時間はすっかり私の生活の一部となり、また私も、Maxの一家の生活の一部となった。サンクスギビングやクリスマスの親族の集まりや週末のバーベキューには、ベビーシッターとは関係なく私も招待してもらえるようになった。

ちょこちょこ歩きでまだオムツをしているMaxが、少しずつ自分でいろんなことができるようになっていく様子を観察するのは面白かった。なにより興味深かったのが、Maxが言葉を、つまり英語を、おぼえていく過程だった。

私がベビーシッターを始めた頃は、ひとやものの名前、walk, sleep, eatなどといった動詞をいくつか言えるだけで、まだ文にはならず、outsideとかupとかagainいう単語と動作を組み合わせて意思表示をしていた。それがやがて、おやつを食べながらMe no like this.とか、レゴで遊びながらYou house build.とかいった調子で、単語をつなげるようになった。そして数か月すると、ある日とつぜん、I don't like this.とかI want you to build a house. と、文法的に正しい立派なセンテンスが口から出てきた。

ある日、Max はどこからか見つけてきていじっていた紐を私に手渡して言った。Can you please unravel this? おおお〜！ unravel! そんな単語は日本の大学生もなかなか知らないぞ！ しかも、ついこのあいだまで Max は、両手で数えられるほどの数しか単語を知らなかったのに！

別の日には、なにか気に入らないことがあった Max は、ドラマチックな身振りつきで I'm shocked and mortified! と大声で宣言し、それを聞いた私をまさに驚愕させた。

子供は、身のまわりにあるものや絵本に出てくるものの名前からおぼえていき、まわりのおとなが口にする言葉を繰り返すようになる。その順番は、学校や教科書で外国語を学ぶときにまず覚える言葉や文法とは違う。それは当然といえばそれまでだったが、第一言語として子供が英語を覚えていく過程をまぢかで目撃したことがなかった私には、新鮮な発見だった。考えてみれば、私が Ortega Elementary で英語をおぼえたときも、年齢は Max より十ほど上ではあったが、プロセスとしては似たようなものだったのだろう。

冬のある日、いつものように保育園から Max と手をつないで家に入り、「今日はなにしよっか？」というと、Max は、Mmm, watch a movie という。

Max は、テレビのある family room にトコトコと歩いていって、天井まである作りつけの棚の前で首を上げた。Max の頭はボードゲームや図鑑が置いてある棚の高さで、手を挙げてもビデオテープが並んでいる棚には届かない。Pick me up, please! と、ちゃんと please をつけてのリクエストに応えて、私は Max をうしろから抱っこして持ち上げた。Max は We watch this one! と言って、ビデオの棚からすぐディズニーの『ファンタジア』のテープを手に取った。私がいまの Max より少しだけ年上だった頃、生まれてはじめて映画館で観た映画だった。

こちらで futon と呼ばれる、布団にしてはやたらと厚くて硬い代物を簀子《すのこ》状の木のフレームに載せた折り畳み式ソファに、私たちは並んで座った。Max の伸ばした足の先が私の膝のあたりにくる。どれどれと、私がリモコンの再生ボタンを押して、映画が始まると、Max はすぐに『ファンタジア』の世界に入り込んでいった。あらためて観てみると、やはりよくできた映画で、時代を超えて名作といわれるのも、すでになんども観ているらしい Max がこれだけ集中できるのも、納得できる気がした。

「中国の踊り」のシーンが始まったときだった。

それまで真剣な表情で画面を見入っていた Max がこちらを向いて、Stop this, go to

next one. と断固とした口調で言う。そして脇に置いてあったリモコンを取って、私の手に握らせた。How come? と聞くと、Max はついこのあいだまでしょっちゅう口にしていた Me no like this. ではなく complete sentence で、I don't like Chinese dance. It's scary. と言う。

子供のとき少しのあいだ習っていたバレエの発表会で「くるみ割り人形」をやったとき、光沢のある黄色の、袖の大きな中国風の衣装を着て、両腕を前に組んで、この曲を踊った記憶がぼんやりとある。いや、記憶があるのではなくて、舞台用に髪をアップにして化粧をされた姿の写真がアルバムに残っているのを見て、覚えているような気になっているだけかもしれない。でも、映画でこの曲が出てくるのがどんなシーンだったかは、覚えていなかった。

よく観てみると、踊っているキノコの顔の部分に、アメリカの漫画やイラストに登場する東洋人によくある、細い吊り目がついている。なるほどこれがディズニー版「中国の踊り」か。私は Bob の指導のもと、オリエンタリズムについて博士論文を書いている最中だった。

「怖くなんかないよ」

このシーンがどう展開するのだったか確認したくて、私はそのままビデオを流していたが、Max は隣のキッチンまでトコトコと逃げていってしまった。そしてじきに次のシーンの音楽が始まると、またトコトコと戻ってきて、私の隣に座って続きを観た。

おとなの感覚からすれば、キノコの踊りのシーンは怖くはなく、むしろかわいらしいし、『ファンタジア』には、ほかにもっと怖いシーンがあるのに、ふだんはけっして怖がりではない Max がこの部分だけを怖がるのは、それが Chinese として描かれていること、そして Max 自身が Chinese でもあるということと、関係があるのだろうか、ないのだろうか。


Max のベビーシッターをするときに、Max の友達も一緒にみるように頼まれることもときどきあった。

ひとりは、Bob と Jennifer と親しいユダヤ系のレズビアンのカップルがコロンビアから養子としてもらった、Molly という名前の女の子だった。

ちょうど、アメリカのカップルが中国や中南米から養子をもらうケースが増えている時期だった。Molly は、思わず指をつっこんでみたくなるような、くるくるした巻き毛の黒髪に、褐色の肌をしていて、Maxと同い年だったが、走ったり跳びまわったりにかけてはMaxよりずっと動きが速い。気性が激しいところがあり、ふだんはかわいいのだが、機嫌が悪くなると落ち着かせるのがひと苦労だった。

Maxのもうひとりの仲良しは、Maxよりふたつほど年上の、Siobhanという女の子だった。Siobhanには Brandon という少し年の離れたお兄さんがいて、もうベビーシッターの必要な年齢ではなかったが、送り迎えのときに私もなんどか会ったことがあった。Siobhan と Brandon の父親は黒人で、母親は白人である。お父さんとはあまりやりとりをする機会がなかったが、お母さんは近くの州立大学の英文学科の教授だったので、私の研究にも興味をもってくれて、会うといろいろ話をした。

「白人のひとには、みんなvaginaがあるの？」

Brandonがまだ小さい頃、お母さんと一緒にバスタブで身体を洗っているとき、真面目な顔でそう訊いたという逸話を、お母さんが話してくれた。

その頃、私のまわりにいた女性たちやそのパートナーたちは、フェミニズムを提唱実践し、子供が幼い頃から性や身体についての正確な知識と健全な姿勢を身につけさせようと心がけている人たちばかりだったから、母親と一緒にお風呂に入るような年齢の男の子が

vaginaという単語を使うことには、もう驚かなくなっていた。

そんなことより、「お父さんは黒人であり、penisがある」「お母さんは白人であり、vaginaがある」というふたつの事実から、「黒人にはpenisがあり、白人にはvaginaがある」という結論を導き出したBrandonの論理力に、いたく感心した。それと同時に、これから黒人男性として成長していくBrandonのことを考えると、その結論が笑いごとではないのを、私も理解するようになっていた。

*

夏に入ると、「午後ずっと家にいてもMaxは退屈するから」と、私はBobの一家が会員になっているpool clubの会員証を手渡された。州道を車で十五分ほど行った郊外にあるそのpool clubとは、プールやテニスコート、バスケットボールコート、子供の遊び場、スナックの売店などがあり、高校生や大学生がアルバイトで道具の貸し出しやプールの救護員をしている、会員制の娯楽施設だった。保育園にMaxを迎えに行ったあとで、私がMaxを車の後ろに乗せてpool clubに連れて行き、BobやJenniferが合流するまで遊んでいるか、数時間後に家に連れて帰ってくるというのだ。

私はアメリカで車を運転するようになってまだ数年で、先輩から安く買い取った中古車に乗っていた。そんな留学生に、二歳の息子のベビーシッターを任せるばかりか、その息子を乗せた車を運転して隣町の施設まで行かせ、日の暮れる時間まで一緒に戸外で遊ばせる――そんな状況は、日本の感覚ではあまり想像できなかったが、Bob も Jennifer も、なんの心配もしていないようだった。

私は言われたとおり、預かったカーシートを車に取りつけ、Max を乗せて pool club に出かけ、ロッカールームで Max を水着に着替えさせ、幼児用のプールで一緒に水遊びをしたり、貸し出し用のボールを借りて芝生で遊んだり、Max の手をつないで歩き回ったりした。

長い夏の午後を過ごしにやってくる子連れの家族や、自転車や自分の運転する車で集まってくる高校生たちのグループで、施設内は賑わっていた。映画やテレビドラマで見たことのある金持ちの country club のような、ゴージャスで排他的な雰囲気はない。それでも、平日の夕方から父親を含む家族ぐるみで寛いでいる人々の姿からは、夏に独特の空気や時間の流れとともに、暮らしの豊かさが感じられた。Max は、知らない女の子やずっと年長の子供たちのところにもためらいなく近づいていって、相手にされなくても気にせず、そばで遊んでいた。

独立記念日をすこし過ぎ、夏もまっさかりのある一日、私はいつものようにMaxの手を引いて、まずトイレに行ってから、ロッカールームに入った。コンクリートの床や壁からも、ところどころに錆びつきが見える金属製のロッカーからも、細長い木のベンチからも、かなりの年季が伝わってくるが、きちんと掃除されていて清潔だった。外からは、子供たちがキャアキャア言いながらプール遊びをしている音や、ティーンエイジャーの男女がflirtしている声が聞こえてくる。

指定のロッカーの前に行くと、同じ列で、白人の女性とMaxと同じくらいの年の女の子が着替えをしていた。もう遊び終わって帰るところらしく、お母さんが女の子の濡れた水着を脱がせている。容姿端麗だが化粧っ気はなく、ごくふつうのTシャツにカーキ色のショーツがよく似合う、L.L.Beanのカタログに出てきそうな、このpool clubでよく見るタイプの白人女性だった。目が合うと、私たちはほぼ同時にHi!とニッコリ挨拶をした。女の子もMaxもなにも言わなかったが、三歳児というのはそんなものだろう。

正面に時計のように数字のついたpadlockのノブを右にまわし、左にまわし、また右にまわして、ロッカーを開ける。トートバッグからMaxの海水パンツを出す。ベンチに腰をかけて、Maxのズボンを下げる。海水パンツのひとつの穴を手で広げ、かがんでMax

の足元に差し出す。Maxは片手をちょこんと私の肩に乗せて、ヨイチョ、と足を入れた。

Good! Now the other one!

My left leg!

Yeah, that's right! I mean, that's right, now your left leg!

そんなやりとりをしているときだった。近くで同じように着替えをしていた女の子が、こちらを見て指を差しながら、お母さんに向かって自信たっぷりに言った。

Look, mama! That boy is putting on his swimming suit, too. The Chinese boy!

ロッカーのなかを片付けていたお母さんは、ハッとおおきく息を吸いこみ、慌ててこちらを振り向いた。そして私の顔を見て、Oh, I'm SO sorry! と言った。顔が目に見えて赤くなっている。

色白で薄茶色の髪をしたMaxは、パッと見ただけではChineseの血を引いているとはわからない。Maxを着替えさせていたのが私ではなく、じっさいの母親のJenniferであったら——白人のJenniferであったら——その女の子はMaxを見てもThe Chinese boy! とは言わなかっただろう。The Chinese boy! と言ったのは、Maxが私の息子だと思ったからにちがいなかった。

夏の午後にpool clubで子供を着替えさせているのだから、私がMaxの母親だと思うのはしぜんなことだろう。私がスペイン語を話し、メキシコ人やプエルトリコ人の姿をしていれば、私がMaxの母親ではなくベビーシッターであることがすぐにわかったかもしれないが、この地域ではアジア人のベビーシッターやnannyは、そう大勢はいなかった。そして、その女の子が私を見てChineseと言ったのは、私のような姿の人間といえば、Chineseしか知らないからにちがいなかった。

It's okay, don't worry about it. He is a Chinese boy.

私は笑顔で返事をしたが、そのお母さんはI'm really sorry.をなんどもなんども繰り返した。あまりにも慌てふためいているので、こちらのほうが気の毒になるくらいだった。そんなに慌てているのは、自分が人種偏見を持っているとも、偏見や差別を培うような子育てをしているとも思われたくないからにちがいない。女の子がChineseと呼んだのは、私ではなくMaxだったが、お母さんはMaxにではなく私に向かって、しきりと謝りつづけた。

おとなふたりがI'm sorry.とIt's okay.を繰り返すあいだ、Maxと女の子は着替えを済ませて、早く行こうよと、私たちの手を引いた。

ニューイングランドの夏の日は長い。いつものテーブルに荷物を置き、Max の後をついて子供用のプールまで歩いていくと、Max はすっかり慣れた様子で、ひとりで水に入っていった。さっきは少し曇っていたのが嘘のように、真っ青な空だった。

カシオの腕時計

冬のある朝、writing group の仲間たちと集まる時間まで少し余裕があったので、Thayer Street に開店したばかりの Starbucks に入った。カウンターでコーヒーを受け取り、数段ステップをあがったところにあるテーブル席について、カバンから論文の草稿とペンを取り出した。論文はやっと半分くらいの章の草稿ができたところで、先はまだ長い。この章をひとまず完成形にもっていくためにすべきことは……と考えながらふと顔をあげると、目の前に坂上さんが立っていた。

「あ、おはようございまぁす」

「おはよう。朝から勉強に励んでるみたいだね」

「うーん、励んではいるけど、あんまりはかどってはいない。坂上さんは、もしかして徹夜？」

「そう、今からアパート帰るとこ」

徹夜の実験というのは理系の研究者にはごくふつうのことらしく、これまでにもなんどか、私が朝オフィスに向かうときに、これから帰宅するという坂上さんにキャンパスで出くわしたことがあった。

「これから家に帰って寝るのに、コーヒー飲んだら眠れなくならないの？」

「俺、コーヒー飲んでもすぐ寝れるんだよ。それに寒いからあったかいもの飲みたいし」

坂上さんは私のテーブルの反対側の椅子にカバンを置いて、ダウンジャケットを脱いだ。

「ねえマリさん、うちの研究室のシャン、知ってるよね」

「知ってるもなにも、ついこないだ一緒にご飯食べたじゃない」

シャンというのは、坂上さんと同じ分子生物学の研究室にいる博士課程の中国人学生で、ときどき私たち日本人留学生にまじって一緒に食事に来ることがあった。北京出身だという彼の名前はXiangといって、正しい発音にどれだけ近いのかは疑問だが、私たちはみんな彼を「シャン」と呼んでいた。

灰色っぽい服を着て寒風で頬を赤くした人たちが、自転車で大群をなしてどこかに向かっているという、私が子供の頃に思い描いていた「中国人」像はかなり影を潜《ひそ》め、テレビや雑誌で見るかぎり、少なくとも風貌や服装にかんしては、北京や上海の若者は日本各地にいる平均的な若者とそう変わるところはなさそうだった。それでも、大学生が車を乗り回してゴルフに行ったり、ディスコでダンパをしたりといった時代の東京で成人した私にとって、シャンは地方から東京に出てきたばかりの新入大学生のように、どことなく垢抜けないところがあり、見ていてちょっと心配になるような無垢な素朴さが漂っていた。

坂上さんによると、シャンはとても優秀で、研究室の教授も期待を寄せているとのことだったが、それに加えてたいへんな努力家らしい。英語も坂上さんよりはるかに上手だった。北京の大学で医学部に通っているガールフレンドのリンが訪ねてきたときには、私も一緒に食事に出かけたが、シャンの彼女にふさわしく、誠実そうで気立てのいい女性だった。

シャンのことを坂上さんは弟のように扱っていたが、それは、五歳ほど歳が違い、ポスドク研究員と大学院生、つまり日本でいえば先輩後輩という関係にあるからだけでもなさそうだった。

「ああそうだったね。あのさ、あいつ、なんか、俺の真似してるみたいなんだよね」

困っちゃうよと言いたげな口調ではあるが、内心ちょっとうれしそうでもある。

「なに、真似って？」

まさか、坂上さんの英語を真似するわけはなかろう。

「このあいだ、俺がしてる腕時計を見せてって言うから、見せてあげたんだけどさ、今日見たら、あいつ、おんなじ時計してるんだよ」

「なに、それってなんか、とくべつな時計なの？　どうやって見つけたんだろ？」

「ほら、これ。別にどうってことないカシオの時計だけどさ、実験で時間を測るのとかに便利なんだよ。別に珍しいもんじゃないから、モールでも行ったときに探したんじゃないの」

「ふーん」

「そう言えばほかにも、そういうことあったんだよね」

「なに、そういうことって、どういうこと」

「なんか、俺の着てるものとか、持ってるものとか見て、ブランドとかメーカーとかをチェックしてるみたいなんだよ」

けっして嫌な気持ちではないようだった。

坂上さん自身、とくべつお洒落というわけではないが、東京の私立高校から東大に進み、私より一足先にバブルの日本を生きたひとだから、そこそこの格好はしていたし、ポスドクという身分で、私のような大学院生よりは少しばかり自由になるお金があったので、モールに行って Eddie Bauer のフリースジャケットを買ったり、Patagonia のカタログでなにやら注文したりしていた。シャンは坂上さんの服装や持ちものに、それとなく注目していたらしい。

シャンは、生いたちも性格も専門もまるで違う私のことを、なぜか慕ってくれていた。坂上さんは、兄貴風を吹かせてはいても、日常会話を超えてじっくり語り合えるほどの英語力がなかったし、当時はまだ国際電話の料金はかなり高く、私もめったに日本には電話をかけなかったから、シャンはなおのこと、中国の家族やリンと話すことはなかなかできず、寂しかったのかもしれない。

坂上さんが就職して日本に帰ったあとも、私はときどきシャンと会った。

食事をしながらあれこれ話をしたが、彼が中国でどんな生活をしていたのかは、あまり思い描けなかった。年齢は私とほぼ同じだったから、天安門事件のときには北京で大学生をしていたはずだが、シャンの口からその話題が出ることはなかった。ただ、シャンは博士課程を終えたあとも中国に帰るつもりはなさそうだった。その頃、日本人の大学院生、とくに男性で、学位を取ったあとでアメリカに残るという選択肢を考えている人はまずいなかったので、私にはシャンの人生計画が新鮮に感じられた。

シャンと私は、同じ年に博士号を取得した。卒業式の週には、リンも中国からやってきた。

毎年、卒業式の前夜には、キャンパスの広い中庭で屋外ダンスパーティがある。私たちは、それぞれの学科の仲間たちとのお祝いの合間に、提灯のような燈がいっぱいに灯された大学の庭の一角で落ちあった。ジャケット姿のシャンははじめて見た。ちょっと背伸びをして照れているようでもあり、嬉しそうでもある。私たちはプラスチックのカップで乾杯し、ワインを飲みながら三人でおしゃべりをした。前方の建物前では、入り口の階段に並んだグリークラブが歌い始めた。このグループがレコーディングやツアーもする有名なグループだと知ったのはここ一年くらいのことだったが、そう言われて耳を傾けると、たしかにプロのような声とノリだ。

式当日には、中世の宗教儀式のような卒業ガウン姿で、ふたたびシャンと並んで写真を撮った。煉瓦造りの建物群。世界じゅうから訪れる卒業生の家族たちのために、いつになく整備された芝生の中庭。ラテン語の文字が刻まれたアーチ。それらがこの場所に作られたとき、私やシャンのような姿の人間がこの光景の一部となることは想定されていなかっただろう。それでも、五、六年この場所で暮らし、ほかの学生たちと一緒に勉強し、こなすべき課程をこなしたことで、私たちはこのキャンパスに堂々と身を置くことができ、明日からは深い愛着をもってこの大学を「母校」と呼ぶようになる。それはアメリカの大学の懐の深さの賜物だった。

*

私がハワイに引っ越してからも、忘れた頃にときどき、シャンからメールが届いた。シャンが卒業後、シアトルで二年間のポスドク研究員をしたあと、ボストンに拠点をもつ製薬会社に就職したのは知っていた。これからはビジネスの知識が必要になるから、MBAを取ることにして、これからアトランタに行くところだというメールを読んだときには、「へぇ〜、あのシャンがMBAとはねぇ〜」と、やや意外な気持ちがした。私が知っていたビジネス・スクールの人たちの雰囲気と、シャンの純朴な様子が結びつかなかったのだ。そして、そのさらに数年後には、シャンはボストンに戻って、バイオテクノロジーの専門企業でビジネス開発をしているという近況報告が届いた。

ボストンならプロビデンスから車で一時間だし、土地柄も似たようなものだけれど、シアトルやアトランタのような風土も文化もまるで違う都市を転々として、シャンはアメリカの歴史や文化や社会を専門にしている私よりも、よほど多様なアメリカを経験している。そう思うと、自分がそれまで無意識の裡にも中国人留学生の彼に対して少し優越感を抱いていたのに気づいた。

メールによると、中国から合流したリンもアメリカの医師免許を取得し、ふたりはめでたく結婚したらしい。彼女がクリーブランドでインターンをしているあいだは離れればなれで暮らしていたが、今はボストンの大きな病院に就職し、責任ある仕事を任されて頑張っている。そう誇らしげに報告するシャンの文面を見て、こちらも素直に嬉しくなった。

そんな便りをもらってから二年ほどして、私は学会でひさしぶりにボストンに行くことになった。学会が終わってから日曜日はまる一日空くので、シャンに会えるかと連絡してみたところ、ぜひ一緒に食事をしようと、熱心な返事が届いた。シャンの都合のいい時間には、私は友達のJaneと会う約束をしていたのだが、「じゃあ、その彼女とも一緒に会おう」と言うので、そこまで言ってくれるのならと、三人で会うことにした。

Harvard Squareのホテルまで迎えにきてくれたシャンの車は、新品のLexusだった。六、七年ぶりに会うシャンは、ずいぶんキリッとした顔つきになっていた。品のいいモスグリーンのセーターを着ている。プロビデンスで坂上さんの真似をしてカシオの腕時計をしていた頃には、シャンがこんな色の服を着る姿は想像できなかった。

ホテルで一緒に待ち合わせたJaneにも、シャンは気持ちよい笑顔で挨拶をして、マリとはいつからのどういう友達なのかとか、せっかくマリとふたりで過ごそうとしていたところに自分が割り込んでしまって申し訳ないとか、ごくしぜんな調子で話をしている。前と同様、英語に多少のアクセントはあるが、そんなことはまったく気にならないほど、やりとりがスムーズだ。

「このあたりには、美味しい中華料理があんまりなかったんだけど、最近いいお店ができたんだ」

そう言ってシャンは、最初にLexusの助手席と後部座席のドアを開けて私とJaneを乗せてから、反対側にまわって運転席についた。

ほんの数分で到着したレストランは、内装からしてなかなか立派だった。庶民的な中華のレストランではたいてい蛍光灯が煌々としているが、この店では上品に抑えた間接照明になっていて、壁のあちこちには、美術館のようにそれぞれ照明が施された窪み棚に、掛け軸や壺が飾ってある。シャンは店長ともウェイターとも知り合いらしく、北京語で親しげに話していた。

「嫌いな食べ物はない？」

私とJaneに気を遣いながら、シャンは前菜からメインまでひととおりの食事を注文してくれた。そして、今回の学会はどんな学会だったのかとか、マリはどんな発表をしたのかとか、ハワイではどんな授業をしているのかとか、シャンが私に向ける質問は、社交辞令の域を超えて積極的な興味を示すものだった。Janeに対しても、いろいろと質問をしたり話題をふったりして、アメリカ的な歓談をごくしぜんにこなしている。たいていアジア出身の男性は、英語力の問題もさておいて、初対面の相手とこうした場でおしゃべりをするのは苦手なものだが、そうか、ビジネスの世界にいると、こういう社交スタイルが身につくんだなあと、妙に感心した。

食事が終わると、シャンはウェイターに顔と指で合図をして伝票を受け取り、いいからという私とJaneを制してさっとクレジットカードを出し、素早くチップを計算してサインをした。その一連の動作は、スマートで嫌味がなく、慣れたひとのものだった。店を出るときの店員たちのお辞儀の様子からすると、チップも存分につけているのだろう。

「もう疲れてるだろうけど、ちょっとだけ僕の家を見て行って。リンは今日は当直で、残念ながらいないけど。Jane も時間は平気かな。だったらぜひ一緒に」

車に乗るときにシャンがそう言うので、私たちはレストランから十分ほどの郊外にあるシャンの新居に行った。

落ち着いた雰囲気で趣味のいい、新築のタウンハウスだった。地下も合わせて三階建てで、ふたりで住むには大き過ぎるが、数年のうちには子供を作ろうと思っているという。まだ家具もまばらで、ひたすら白く広がる壁が、引っ越してからまだ時間がそうたっていないのを物語っていたが、玄関脇の壁には水墨画の巻物が、ダイニングの横にはシャンの卒業証書が、それぞれ額に入って飾られている。

窓もある半地下のゲストルームを案内しながら、まっすぐ私の目を見てシャンは言った。

「今はまだベッドを入れただけだけど、もう少ししたらほかの家具も揃えるから、こんどボストンに来たら、ここに泊まってね。僕が出張で留守にしてるときでも、自由に使ってくれていいから」

ボストン周辺の地価は急激に高騰していた。文系の大学教授などは、一軒家はおろか、街の中心からかなり離れなければ、タウンハウスを買うのも難しい。Jane のボーイフレンドは、マサチューセッツ工科大学で脳科学の助教をしていて、研究職としては相当に恵まれた身分だったが、ミュージアムで働く彼女の収入も合わせてローンをめいっぱい組み、大学近くの細長い duplex の一戸をどうにか買ったところだった。

シャンは、自慢するために自分の車や新居を私に見せているのではないのがわかった。プロビデンスでの大学院時代を共にした友達と、いまの自分たちの生活をシェアしたくて、案内しているだけだった。立派なビジネスマンになったいまでも、シャンの素直さや私への態度は、大学院の頃と同じだった。

＊

それからさらに何年かたって、またシャンからメールが届いた。

How are you, Mari? It's been a long time since I saw you. I see that you are still at the University of Hawaii. You must be a very important professor!

A few years ago I started my own company in Cambridge. It is a biopharmaceutical company that does research and development in cutting-edge fields and provides latest medicine in both U.S. and Asia. It is a lot of work, but I find the challenge rewarding.

I hope I will have a chance to see you again soon! Please let me know when you have a chance to come to the Boston area. Lin and I would love to host you.

James (Xiang)

P.S. I go by James now.

インターネットで私のことを検索したのだろう。何年も連絡が途絶えても私のことを覚えていてくれて、とくに用があるわけでもないのにこうして連絡してくれるのがうれしかった。そして、坂上さんの真似をしてカシオの腕時計を買っていたあのシャンが、アメリカで起業してバイオ製薬会社の社長になっている。坂上さん自身も日本の研究所で立派に仕事をしているらしかったが、収入においては、いまではシャンのほうが坂上さんの数十倍だろう。まさにアメリカン・ドリームであり、そしてまさに現代中国の物語であった。

同時に、そのメールの最後を読んで、形容しがたい思いに襲われた。

シャンが、ジェームズになっちゃった！

アメリカのバイオ製薬会社の社長としてビジネスをするにあたって、だれも発音できないような中国名を西洋風の名前に変えようというのは、いたって筋の通った話だった。百年以上前から、世界各地からアメリカにやってきた移民たちも、メインストリーム社会に同化しようと、姓をアングロ風に変えてきたではないか。まして、シャンの本名は姓も名も、一般のアメリカ人はまず発音できないような綴りだった。姓を正式に変えるのは手続き上ややこしいにしても、名にかんしては、自分で選んだ英語名を通称として使うのは、移民の多くがあたりまえにやっていることだった。シャンがジェームズになったって、悪いことも不可解なこともない。

でも……。

自分が指導している中国や韓国からの留学生で、Grace だの Anna だの Juliet だのといった名前を使っている学生は多い。じっさいのところ、彼女たちの本名は綴りも発音も覚えるのが難しかったし、頑張って覚えても、正しい発音とはだいぶ違っているのだろう。本人がその名前を使いたいというのだからと、その名前で呼んでいたが、内心、なんとなく居心地の悪い思いもあった。

そのあとの夏に日本に一時帰国したときに、プロビデンス時代のシャンを知っていた日本人仲間のひとりと、食事に行った。都内の大学で教えている彼女とは、アメリカの大学で仕事するのもたいへんだけど、日本の大学はとにかく理不尽な事務作業が多くてねえという、アメリカ留学を経て研究職についている人たちのあいだでよくある会話になった。

食後のお茶のカップを置いたところで、ふと思い出して言った。

「ねえねえ、坂上さんの友達のシャンって覚えてる？」

「あの素朴な青年？」

「そうそう！　あのシャンねえ、今ではボストンで立派な製薬会社の社長さんで、Lexusに乗って、素敵な家買って住んでるのよ〜。奥さんもボストンでお医者さんだって」

「へえ〜。さすがチャイニーズだね。日本人でそういう人生を歩む人、『本格小説』の東太郎ならともかく、今ではあんまりいないもんね」

「でしょ〜。でもね、それだけじゃないのよ」

「なになに」

「シャンね、ジェームズになっちゃったのよ！」

「えええぇ〜！　あのシャンが、ジェームズ！」

「そうなのよ〜。なんとも言えない気持ちになるでしょ？」

少しのあいだ考えていた彼女は、ぽつりと言った。

「そうだね。なんかちょっと哀しい」

山手線とナマチュウ

「殿」との関係が終わったようでもあり終わってはいないようでもあるウヤムヤの時期は、気に入っていた背の高い白人の大学院生にちょっかいを出したりはしていたものの、日本人以外の男性に本気で恋をすることは、あまり具体的に思い描けなかった。

日本人という国籍や「血」にこだわりがあったわけではない。ただ、自分が育ってきた日本の社会や文化を体感的に知らない男性に恋心を抱くという状況が、想像できなかったのだ。そしてその頃の私は、日本人男性のほうがそうでない男性よりも自分のことを理解してくれるという前提を信じて疑わなかった。そしてまた、毎日せっせと英語で論文を書きながらも、英語で詩や小説を書くことはまるで想像できなかったのと同様に、自分が恋愛感情を英語で表現したり、ベッドの中で英語を口にしたりする状況は、どうも想像できなかった。

Louieは、そんな私にとってとくべつな存在だった。

私たちは、大学生時代に参加した、とある学生会議で出会った。

その会議とは、日米関係を憂慮した学生有志によって一九三〇年代に創設され、太平洋戦争中と資金不足に悩んだ一九五〇年代後半を除いて毎年開催されてきたという、歴史ある催しだった。過去の首相や大臣を含む政財界の著名人も、多く同窓生名簿に名前を連ねている。

日本とアメリカからそれぞれ四十人ほどの大学生が、一か月近く生活を共にしながら、さまざまな問題を話し合うというもので、企画運営から資金調達まで、すべて学生たちの手によってなされる。大学一年生の頃から、キャンパスのあちこちに貼られている参加者募集のポスターに気づいてはいたのだが、ポスターの中央に据えられた、円の半分ずつが日の丸と星条旗になっているロゴがなんとも古めかしく思えて、なんとなく抵抗を感じていた。でも、過去にこの会議に参加したという先輩や同級生がやたらと楽しそうにその経験を語るので、単純に羨ましくなり、大学四年の夏が最後のチャンスと思い、応募してみたのだった。

開催地は、一年ごとにアメリカと日本を交代する。私が参加した年はアメリカで、アンカレッジ、シアトル、バークレーでそれぞれ十日間近く過ごすという旅程だった。

到着したアンカレッジは、真夏とは思えない肌寒さだった。空港からのバスの窓から見える白い空気のなかで、道路脇に咲いている見たことのない大小の花が、フライトの疲れと時差でぼーっとしている私たちに目を覚ませと訴えかけるような鮮やかさを放っている。

滞在先の大学の寮は、四人一組で、個室のベッドルームと、ふたりにひとつのバスルームがあり、その中心に、ゆったりしたリビングエリアがあった。なにもかもがピカピカなところを見ると、新しく建てられたものなのかもしれない。

荷物をほどき、シャワーを浴びて、ひと息つくと、いよいよ日本組とアメリカ組が顔を合わせるときがきた。みんなが集まった大きな広間には、ソファや椅子がまばらに置かれていたが、アメリカ人の学生の多くは絨毯のフロアに胡座《あぐら》をかいて座っていた。

「UCバークレーでジャーナリズムの勉強をしています。出身はアラバマで、Mardi Grasという伝統的なお祭りがあるところです」

「ハワイ出身で、日本語とロシア語の勉強をしています。自転車が趣味で、アメリカ大陸を自転車で横断しました」

「オベリン大学で東アジア研究を専攻して、一年間京都に留学していました」

日本の英会話教室の吊り広告に写真が出てきそうな金髪で色の白い人たちがいるいっぽうで、日系人やフィリピン系や黒人もいる。十代の子供がいるというひとが数人と、退職してからまた大学に通いはじめて、孫の年代の学生たちと一緒に勉強しているという、七十代の男性もいるのには驚いた。

Louieは、そのアメリカ側の参加者のひとりだった。

自己紹介によると、子供のときにベトナムから難民としてアメリカにやって来て、オクラホマで育ち、今はセントルイスの大学で勉強しているという。ベトナム語の本名はアメリカ人には発音しにくいので、Louieという英語名を使っているらしい。丸顔で、細めの一重の目をした彼の声や表情や仕草に、私はなぜか惹きつけられて、なにかにつけてLouieのことを目で追うようになった。

夏のアンカレッジは、零時を過ぎても完全には暗くならない。夜中になると、だれが言い出すでもなく、寮の外の駐車場にひとり、またひとりと姿をあらわした。ギョッとするような大きさの蚊がたくさん、私たちと同じように、灰色の空のもと、電灯の周りに集まっていた。

ただし、外で長時間ウロウロするには寒すぎる。しばらくするとみんな屋内の広間に移動して、だれかがどこかで買ってきたビールを飲みはじめた。アメリカ人の学生が、部屋からラジカセを持ってきた。呆れるほど大きい。一か月ぶんの荷物に加えて、こんなものをわざわざ飛行機に乗せて持ってきたのか。

ノリのいい音楽が響きわたり、しぜんにダンスパーティが始まった。そこで踊るLouieの姿を見たその瞬間、彼に感じていた引力に、生理的なものが加わった。東京のディスコで踊っている日本人男性はもちろんのこと、その場にいるほかのアメリカ人の男女のだれとくらべても、身体の動きが俊敏でしなやかだった。たんにビートに合わせているだけではない音楽性がある。なるほど「セクシーな動き」というのはこういうものを指すのか。

You dance better than Michael Jackson!

フロアの反対側からそう声をかけたのは、背が高くハンサムで頭も性格もよく、日米両方の女性たちの憧れの的となっていたアメリカ人のRobだった。

私はそんなセクシーな動きはもちろんできないが、踊るのは好きだ。日米各地からひと夏を共にするために集まった若者たちが持ち寄る独特のエネルギー。そして、暗くならない夜の緊張感と倦怠感が混じり合った空気。その流れに乗って、みんなと一緒に踊りながら、なんどかLouieと目が合った。私が観察するLouieは、身体の動きも、ひととのやりとりも、こういうのがsmoothというのだなと思わせるひとだった。

私たちの集団以外にだれもいない閑散としたキャンパスで、ふたりきりになれる部屋はいくらでもあった。アンカレッジでの十日間が終わり近くなる頃には、薄明るさの続く夜、私とLouieは、そうした部屋でいつまでもときを過ごした。

二十歳前後の男女八十人が一か月生活を共にしながら、アンカレッジからシアトル、バークレーと移動するなかで、自然の摂理のように、私とLouieのほかにもいくつものカップルができたり消えたりした。

濃厚だったのは、男女関係だけではない。

私はそれまで、なにごともちょっと斜めから見てクールに構えるのがよしとされ、熱くなるのは愚鈍な人間と捉えるような空気のなかで学生生活を送ってきていたのだが、ここではみんな恥ずかしげもなく、理想を語り、理念を論じ、自分を吐露するのだった。

「日系人として育った僕は……」

「アメリカで黒人であるということは……」

「幼いときに一家でグアテマラから移民としてやってきた僕たちは……」

「ブルックリンの一角で育った私は、まわりの人たちがみんなユダヤ系だというのがあたりまえと思っていて……」

「まわりには白人と黒人しかいなかったDeep Southで育ってから大学でバークレーに来て……」

アメリカ側の学生たちは、なにかにつけてそういった話をした。ベトナムからイタリアを経てオクラホマにやってきた経験を語るLouieも、そのひとりだった。

私はその昔カリフォルニアで暮らした経験から、アメリカでアジア人として生きるということがどういうことか、少しは知っているつもりだったし、大学でもアメリカ研究を専攻していた。アメリカの建国理念や社会運動の蓄積からして、奴隷制や差別や排斥の歴史はあるにしても、あらゆる背景の人たちが勝負できる、少なくとも夢を抱くことのできる社会なのだと思い描いていた。だからこそ、公民権運動を経た多民族社会アメリカで、今の若者たちにとってこれほど「人種」が切迫した個人的な問題なのかと、衝撃を受けた。

会議終了も間近になった頃、大学のカフェテリアの食事にいい加減げんなりした私たちは、寮を出てレストランで食事をしに行くことにした。アンカレッジとシアトルでは、滞在していた大学のキャンパスはその周辺からほぼ独立した空間で、街全体がどんな雰囲気なのかを感じ取る機会はあまりなかったが、ヒッピー文化で知られるバークレーは、寮の外の門を一歩出て下り坂を歩けば、大学関係者もそれ以外の人たちも一緒くたの街だった。カフェやレコード店やセックス用品店が雑多に並ぶ道を、私たちはおのぼりさんの好奇心を丸出しにして歩いた。

Hey, man! A pretty lady you got there! という声がして横を振り向いた。なにをするでもなく道に立っている黒人男性が、私の隣の Louie に向かってかけた言葉だった。瞬時に Louie は、その男性と目を合わせて、挨拶がわりにクイっと顎を上げた。

Yeah, you're right. Thanks, man!

その言葉とほぼ同時に、Louie はこちらに笑顔を向け、さっと私の腰に手をまわして歩きつづけた。

日本の大学生がしたら、許しがたくキザに見えたであろう、そのこなれたやりとりと仕草は、Louie がすればごくしぜんに感じられた。少なくとも私にはそう思えた。

肩を抱き合ったり手をつないだりしていたわけではないのに、通りすがりの人にも私たちがカップルに見えたらしいのがうれしかった。pretty lady と言われたのもまんざらではなかったし、Louie がそれを肯定して自慢げに私の腰に手を回したのもうれしかった。

いかにもそんなやり取りは日常茶飯事かのようなふりをして、自分もLouieにくっついて、親密さを露わにしながら歩いた。

その数日後、涙、涙の別れをあとに、私たちはアメリカと日本のあちこちに散っていった。

*

まもなく私は、大学院の入学試験を受けた。そして、内定をもらっていた新聞社に頭を下げに行って、就職を辞退した。

にわかに学問を志すようになったわけではない。学問をするとはどういうことかもよく理解していなかったし、大学院とは学問で食べていこうとする人のための職業訓練の場であるということすら、きちんと認識していなかった。ただ、学生会議の濃厚な経験から、まずはもういちどアメリカに行ってもっと勉強したいと思うようになっていたところに、授業での発表を教授に褒められ、調子に乗ってそのまま、大学院受験の申し込みをしたのだった。そして卒論を書きながら、アメリカの大学院にも応募書類を提出した。

論文を提出してから卒論発表会までの数週間の休みを使って、応募した大学院の下見と卒業旅行を兼ねて、こんどはひとりで、アメリカに出かけた。

最初に訪れたボストンには、応募先の大学に、会議で同じ分科会だったKenがいた。ひょろっとして身体も性格も柔らかいKenは、アメリカ生まれのアメリカ育ちだが、両親は日本人で、Ken自身も日本語でひととおりの会話はできる。父親は大学教授だと聞いていた。数年前にKenがゲイだとカムアウトすると、両親から勘当状態の仕打ちを受けたが、自分を認めてくれない両親よりも自分を受け入れてくれる友達のほうがほんものの家族だと思うようになった。——そう話していた。

Kenの寮に訪問客用の空き部屋があるというので、そこに泊まらせてもらった。十九世紀半ばに創設されたボストンの街なかの私立大学だけあって、夏にアンカレッジやシアトルやバークレーで滞在したキャンパスとはまるで雰囲気が違う。煉瓦造りの寮は、各部屋も共同スペースも、日本の感覚にしっくりくる面積だった。

応募した学科の教授に会い、大学院の授業を見学させてもらってから、夕方寮の部屋に戻ると、Kenがやって来た。

「アメリカの大学だから、日本の食事とくらべたら美味しくないけど、こっちに留学してくるんだったら、こういうのも体験しとかないとね」

そう言って、カフェテリアに連れて行ってくれた。

ワイワイとした大きな空間のなかに、友達ふたりが座っているのを見つけ、混雑したテーブルの合間を縫ってトレーを持って歩いていくKenのあとに、私はついて行った。

「僕の友達のマリ。日本から旅行で来てるんだ」

私は夏の会議に参加するまで、同性愛者であることを公表している人に出会ったことがなかった。同性愛者についてステレオタイプを抱くほどの知識すら、持ちあわせていなかった。それでも、この男女がそれぞれゲイとレズビアンであるということは、なぜかすぐにわかった。

Hi, Mari!

手を挙げたふたりの最初の挨拶は、きわめてアメリカ的だった。

私とKenも座って食事を始めると、そのふたりは、知り合いの噂話をしはじめた。最初のうちは、Kenも質問をしたりコメントを挟んだりしていた。

ふたりはその後も、私にはなんだかさっぱりわからない、内輪の話をひたすら続けた。仲良し三人組のなかに私ひとり部外者が入っているのだから、その会話に私が参加できなくても当然だ。日本でもそんな状況はいくらでもある。まして、外国人観光客である私にみんなが話を合わせてくれることを期待していたわけではない。それでも、なんだかこのふたりからは、意図的に私を会話に入れまいとしているような、冷たい空気を感じた。最初の挨拶のときに、私がじゅうぶん会話できる英語力があるのはわかっているはずだった。いやむしろ、私が片言の英語しか話さなければ、このふたりはゆっくりした英語でなにか話題を振ってくれるのではないか。私が言語は理解できるのを知ったうえで、わざと内容の通じない会話をしているのではないか。そんなふうにすら思えた。

小中学校のいじめでもあるまいし、また、つい数分前に会ったばかりの相手に嫌われる理由も考えられず、オープンでフレンドリーなはずのアメリカに友達を訪ねてきて、こんな思いをするとは思わなかった。私は黙って美味しくない料理を口に運びつづけた。

あまりの居心地の悪さに、永遠のときがたったように思えたが、じっさいにはほんの数分間のことだったのかもしれない。最初は相槌をうっていたものの、途中からは私と一緒に黙って食べていたKenが、とつぜんガチャンと音がするほどの勢いでお皿にフォークを置き、顔を上げて言った。

Hey, guys. I thought this was a table of four.

隣のテーブルの学生も振りむく勢いの、断固とした口調だった。一瞬、場が凍りついた。びっくりしてKenに目を向けると、こわばった顔をしていた。

ふたりもビクッとした表情になって、声を揃えてぼそっと言った。

Sorry.

ふたりから冷たい空気を感じ取るのは、もしかすると私の思い込みで、たんにこの三人に共通の話題で盛り上がっているだけなのかもしれない。初対面の外国人と話すことがなくったって、あたりまえじゃないか。――そう自分に言い聞かせようとしていたところだったが、やっぱり思い違いではなかったのだ。Ken の気遣いがありがたく、その勇気に感心すると同時に、こういう場面で自分は同じように発言できるだろうかと思うと、自信がなかった。

さてなにを言えばよいのか、ぎくしゃくしながらも、四人でたわいもない話をしながら、食事を終えた。

＊

ボストンのあと、私はワシントンＤＣで数日間過ごしてから、セントルイスに向かった。提出したばかりの卒論で扱ったチャールズ・リンドバーグゆかりの街だから、土地柄にも興味はあったものの、セントルイス訪問の目的は一にも二にも Louie との再会だった。

夏の終わりに別れてから、なんども手紙の交換をしているうちに、それまで Louie に感じていた魅力に、独特の筆跡が加わった。Air mail用の便箋や航空書簡に手書きで書き綴ったのは、ラブレターと呼ぶようなものではなかった。ひと夏の非日常のなかで生まれたつながりが、海をはさんでも持続すると期待するのは現実的でないことは、思い込みの激しい私でもさすがにわかっていた。この関係をどう捉えてよいものやら、お互い困惑していたというのが、正直なところだろう。

それでも、机に向かって相手になにかを伝えようと文章を綴り、待ち焦がれていた返事が届くと貪るようになんども読み返すなかで、面と向かっているときにはあまりしないような真面目な話も交わして、ほかの大勢と一緒だった夏にはなかった理解が深まっていた。そうしてから、また生身の相手と会うとなると、いったいどんな顔をしてどんな話をするのかと、照れ臭いような気持ちが膨らんでくるのもたしかだった。

友達に借りたという、アメ車という単語がまさにふさわしい大きな中古車で、Louieは空港に迎えに来てくれた。お互い照れ臭さを隠せないままハグをして、車でLouieの大学に向かった。

来てくれるのはもちろんとても嬉しいけど、自分はfraternityに住んでいて、ベッドルームは三人部屋だし、女性用のバスルームはないし。とても日本の女性が何日間も泊まるような環境ではない。でもほかに泊まれる場所もないので、まあなんとかする。――会いに行くと伝えたときから、Louie は手紙でそう強調していた。

夏の会議のアメリカ人参加者のうち、大学では fraternity や sorority に住んでいるというひとが何人かいた。それがいったいなんなのか、説明を聞いても、よくわからないままだった。とても女性が泊まるような場所ではないといわれて、当時の私の頭に浮かぶのは、東大の駒場寮だったが、アメリカの私立大学にそんな空間が存在するとはちょっと思えない。

到着してみると、やはりそこは駒場寮とはまるで違うものだった。

たしかに、二十歳前後のアメリカの男子学生ばかりが暮らしている空間らしく、広間にあるソファには、その起源をあまり考えたくないようなシミや穴がある。新聞やら雑誌やらビールやコーラの空き缶もあちらこちらに散らかっていて、清潔とはとうてい言いがたい。

「この三日間は、このバスルームはマリ専用にしてもらうようにみんなに通達してあるから、ここを使って」

そう言われて入ったバスルームも、私の到着を控えて一応さっと掃除はしたらしいが、使用が耐えられるのはせいぜい数日間といった状態だった。そして、私がいるあいだはふたりのルームメートに他の場所で寝てもらうように頼んだというLouieの部屋には、プライバシー用に大きなシーツを上から垂らした二段ベッドと、それと直角の壁に低いベッドがあり、あとは壁に向かって小さな勉強机があるだけの、まさにむさ苦しい空間だった。とても女性が泊まるような場所ではないという表現は、まことに適切だった。

それでも、建物じたいは、百年ほど前に建てられたと思われる立派なお屋敷で、落ち着いて見まわせば、広間にある暖炉や階段の手すり、壁と天井のつなぎ目の装飾などに、意匠が凝らされている。そして、むさ苦しいとはいっても、そこに暮らしている男子学生たちは、由緒ある私立大学に通うだけでなく、fraternityという特殊な生活と社交の空間を求め、しかもそこに入ることを認められた、選ばれた男たちであった。

フットボールの選手、ボート部の選手、ディベート部員など、紹介された何人かの風貌やふるまいからして、本来は裕福な環境で生活する若者たちが、好きこのんで小汚い学生生活をしている。そんな印象を受けた。そのfraternityには、黒人がふたりとベトナム人のLouieがひとりいるほかは、全員が白人だとLouieに聞いた。

Louieはビジネス専攻だったが、日本語の授業もとっていた。アメリカ中西部の、とくに日本研究で知られているわけでもない大学で、初級から上級まで全四年間ぶんの日本語の授業が開講されていて、ベトナム生まれでオクラホマ育ちのLouieがせっせとそこで日本語を勉強しているという事実に、私は新鮮な驚きを感じた。

日本から友達が遊びに来ているのなら、授業に連れてきてもよいと先生に言われていたらしいが、アメリカ研究の授業ならともかく、日本語の授業を見学することにはあまり興味をそそられなかったので、Louieが授業に出ているあいだ、私はかわりに巨大な図書館を探検した。リンドバーグに関連する書籍も当然ながらたくさんあった。これらの本が日本にあったら、卒論のために読まなければいけないところだった、なくてよかったと、これから大学院に進学しようとしている人間にあるまじき思いが頭に浮かんだ。

ある日、Louieが言った。

「マリ、静かだね」

たしかに、夏の会議のときとくらべると、私はずっと口数が少なかった。

同数の日本人とアメリカ人学生たちが、みんなにとって一時の滞在先である空間でひと夏を共にするなかでLouieに接していたときと、Louieが生活し、勉強している大学に私が出かけていって、一対一で向き合うのでは、まるで勝手が違う。

文脈という鎧のないまま、ここにいる自分というだけで、私を知ってもらわなければならない。そして、この世界の記号を読解する技術をじゅうぶんに持たない状態で、この世界にいるLouieのことを知ろうとしなければならない。その意外な障壁に、私は戸惑っていた。文脈や記号解読コードを持たずにsmall talkをするのはとても難しいし、無知な質問やコメントをして、ふたりの共通点のなさを認識するのも怖かった。

セントルイスでの三日間のあと、私とLouieは飛行機でシカゴに飛び、週末を過ごした。それまで大学の寮や知人の家を泊まり歩いていたので、宿泊代がかかっていなかったぶん、旅の最後にLouieと過ごすシカゴでは、貯めたアルバイト料を奮発して、高級店のたち並ぶMichigan Ave.から入ってすぐの立派なホテルを予約していた。

ボストンやワシントンも寒かったが、大きな湖に面してビル風も厳しいシカゴの一月の空気は、経験したことのない冷たさだった。私はシカゴははじめてだったし、セントルイスからシカゴは飛行機に乗れば一時間の距離だが、Louieもいちども来たことがないという。観光のひとつもすべきところだったが、十分も外にいれば顔が凍るような寒さで、歩きまわる気にはとてもならず、私たちは二日間のほとんどをホテルの部屋で過ごした。これでもかというくらい、昼夜を問わず、なんどもセックスをした。ひと息つくと、

「じゃあ日本語テスト。これなんの字？」と、寝そべっているLouieのお腹や背中に指で「ま」とか「ぬ」とか書いて当てさせた。

「じゃあ交代」

こんどはLouieが、私の背中に指で文字を書いた。背中に感じる動きを頭のなかで書き直して、すぐわかる文字もあったし、さっぱりわからないものもあった。

Huh??? What's that?　枕に顔を埋めたまま言う。

Oh, wait, wait.

Louieは黒板の文字を消すように、手のひらで私の背中を拭い、「まちがえた、もういっぺん」と、こんどは舌で文字を書き直しながら、手を私の身体とベッドのあいだに滑りこませた。

そんなことを繰り返している合間に、いろいろな話もした。

Louieが幼いときにベトナム戦争が終結したこと。エンジニアとして米軍寄りの仕事をしていたLouieの父親は、共産党政権による糾弾を恐れて一家でベトナムを脱出し、まず、親戚がカトリック神父として暮らしていたローマに行ったこと。その一年後に、オクラホマ州でスポンサーとなってくれる教会が見つかり、アメリカに再移住したこと。アメリカに移ってからは、父親は工場の労働者となり、仕事中に腕に大きな怪我をしたものの、家族を支えるために重労働を続けてきたこと。そんなLouieの生い立ちの大筋は、夏に聞いていた。

だが、四人きょうだいの末っ子だというLouieにはじつは妹がいて、アメリカに来て一年もたたないときに自動車事故で亡くなったということは、シカゴのベッドのなかではじめて聞いた。

Louieは父親のことを、親愛と畏怖の両方を込めてmy old manと呼ぶ。その父親は、戦争そして亡命という苦難にも屈しない強さと明るさがあったのだが、娘を亡くしてからは、灯が消えたように、硬い鎧をまとった別人のようになった。——そう言ってから、Louieはすらっと長い指に挟んでいたタバコを口に入れ、ふぅーっとゆっくり煙を吹いた。急に、シーツのツルツルとした感触を身体じゅうに感じた。

アメリカに来て、家族全員で英語教室に通って少しずつ英語を覚えはじめた頃、機械がきちんと作動しているときにworkという動詞を使うと知って、みんなで大笑いしたという。

「自動販売機とかATMがworkしてるって、なんか可笑しいじゃん。ガソリンスタンドのポンプがworkしてない、とかさ。その表現がすごくアメリカ的だって、僕たち思ったんだよね」

そう言われてみれば、そういう気もした。

Louieときょうだいは、地元の学校に通いながら、子供ならではのスピードで英語を身につけていったが、家族を養うため、手に入れた職をなんとか失わず仕事をするので精一杯だった両親は、そういうわけにはいかなかった。子供たちに明るい将来をという思いで、まさに命がけでアメリカに亡命してきたにもかかわらず、その子供たちがアメリカ社会で将来を築く手助けをするのに必要な基礎知識やスキルが、両親にはない。英語ができなければ、学校の宿題も手伝えないし、先生と両親のやりとりも、子供たち自身の通訳を介さねばならなかった。

子供が親よりもずっと早く英語を身につけていくのは、私自身カリフォルニアで経験していた。しかし、ベトナムから一家で亡命してきたLouieがアメリカで生活を築いた道程と、日本人駐在員の娘として数年間カリフォルニアで暮らした私とでは、その意味がまるで違う。

私が通ったカリフォルニアの中学でも、Louieと同じNguyenという苗字のベトナム人の生徒が何人かいたのを思い出した。みんな英語を母語と同様に駆使する、優等生の部類に入る子たちだったが、あとから考えてみれば、Louieと同じ頃に、同じような経緯で、アメリカにたどり着いたのだろう。

裸でシーツの下で寄り添っているときに、Louieが話してくれた。

中学生のとき、学校の廊下で、地元の財団が提供している奨学金のポスターが目に入った。なんだかよくわからないが、お金がもらえるかもしれないのなら試してみようと、あれこれ考えて応募エッセイを書き提出してみたところ、しばらくして合格通知が届いた。街の集会所で、合格者のための式典があった。Louieはお兄さんにネクタイとジャケットを借りて、両親と一緒に出席した。Louie Nguyenという名前を呼ばれて、白人のおじさんばかりずらりと前に並ぶステージに出て、賞状と小切手をもらった。それほど多額の奨学金ではなかったが、生まれて初めて自分の力で手に入れたお金だった。

それいらい、手当たりしだい、ありとあらゆる奨学金に応募するようになった。両親はもちろん、ほかに助けてくれる人もいなかった。不合格になったものも多かったが、応募しつづければ数回に一回は合格した。そうやって、高校生のときにひと夏を日本で過ごすプログラムにも合格し、それがきっかけでLouieは日本に興味をもつようになったのだった。

大学に応募するときにも、オクラホマの公立高校では、手とり足とりアドバイスをくれるようなカウンセラーもいなかった。手探りで応募書類を揃えて、あちこちの大学に応募し、奨学金つきで合格通知が届いた大学を選んだのだという。奨学金なしでは、じっさいに入学した私立大学はもちろんのこと、州立大学であっても、工場で働きながらすでに三人の子供を大学に送った親がLouieの授業料と生活費を払うのは、とても無理だった。ベッドをほとんど出ることないまま、少しずつ、ポツリポツリと、Louieがそんな話をするのを聞いて過ごした。

ふと、これまでの人生での最大の後悔はなにかという話になった。

私は答えに窮した。後悔がない人生を送ってきたわけではない。ただ、とっさに答えを思いつかなかったのだ。ところがLouieは、ほんの数秒間考えただけで、なにも映っていないテレビ画面にまっすぐ目を向けて、真顔で答えた。

「アイビーリーグの大学に行かなかったこと」

私はギョッとした。

Louie の大学は、日本では知名度は高くないが、アメリカでは立派な定評と歴史のある大学だ。財源豊かで高度な教育がおこなわれていることは、少しキャンパスを覗いただけで私にもわかった。Louie のような背景の学生が、奨学金をもらってその大学に入学し、さらには fraternity に入ってビジネスを専攻しながら日本語を勉強する。その意味も、少しだけ感じ取れたような気がしていた。そして、日本ほど中央集権的でないアメリカでは、Louie のように実力でものを手に入れる意欲と能力のある人間なら、卒業した大学がアイビーリーグだろうがそうでなかろうが、そんなことはあまり関係ないのではないか。そう思っていた。

Really? THAT's your one regret in life?

驚きを隠せず、私はそう訊いた。

Louie はただポツリと Yeah. と言っただけで、さらなる説明をしようとはしなかった。なぜそのように思うようになったのか、聞く気持ちにはなんとなくなれなかった。

＊

私がプロビデンスで大学院生活を始めたのは、その七か月後だった。

その後もときどき、Louie と手紙のやりとりをした。

Louieは大学を卒業後、JETプログラムで英語の教師助手として二年間香川に住むことになった。やがて、同じプログラムで神戸にいる、Natalieというアトランタ育ちのインド系アメリカ人女性とつき合っていると、手紙で知らされた。自分も「殿」とべったりのつき合いを始めて一年以上たっていたから、怒ったり嫉妬をしたりする筋合いはまるでないのは百も承知だったが、それでもやはり少し淋しい気持ちになった。

さらに数年間たって、Louieはアメリカに戻り、サウスカロライナのビジネス・スクールに入った。Natalieとは別れたとの報告が手紙で届いた。私も「殿」との修羅場をくぐり抜け、男っ気のない状態でせっせと博士論文に向かっていた。ちょうどメールが普及しはじめていた時期だった。なにかの拍子で、ある夏Louieとやりとりするようになり、話の勢いでその二週間後、私はサウスカロライナへの飛行機に飛び乗った。

空港に迎えに来てくれたLouieのこんどの車は、一九七〇年代ものの黄緑色のカルマンギアだった。知り合いの知り合いが手放そうとしていると聞いて、見せてもらうとすっかり気に入り、懐に無理を言って手に入れたのだという。うだるように蒸し暑いサウスカロライナで、エアコンもないその車はけっして実用的とはいえなかったが、「こういう価値のあるものをじっくり大事にしていきたいと思って」というLouieは、伸ばした髪を後ろで結んでいた。前に会ったときとは違う、おとなの男の匂いがした。

fraternityとはうって変わって、Louieは白人とベトナム系アメリカ人のふたりの学部生の女性をルームメートに、広々とした平家の一軒家に住んでいた。ルームメートたちは、昼間は大学で夕方からはアルバイト、夜はボーイフレンドのところに泊まることが多いとかで、最初に挨拶をしたあとは、ほとんど姿を見なかった。

Louieと顔を合わせるのは五年ぶりだった。

セントルイスに訪ねていったときよりもずっと、話しやすい気持ちがした。前は、なにをどう話してよいものやらわからない部分を身体で補っていたようなところがあったが、今回は、肉体の欲求と同じくらい、話したいことがたくさんあった。一日に何回もセックスをしたし、車のなかでも映画館のなかでもパーティでひとの家に行けばひとのいない暗闇でも、キスし抱擁し身体を触りあったが、それと同じくらい、あれこれしゃべりもした。そして今回は、会話の合間に沈黙があっても、それが気になることもなかった。それぞれが別の世界で別の人生を生き、別の相手と関係をもってきたという理解に、相手が自分に好意を持っているという安心感と、親密な過去があったという共犯関係のような信頼が、二十代の性欲に拍車をかけ、私たちは五年前よりもさらに貪欲に、大胆に、身体を重ねた。

Louie は夏学期の最中だったので昼間は授業に出かけ、そのあいだ、私は Louie の部屋に残って博士論文の推敲をした。Louie の通うビジネス・スクールは、国際ビジネスを重視したプログラムで、学生の多くは専門とする国と言語を選択し、ビジネスとは別に、その地域関連の授業も履修するという。Louie は日本語上級の授業をとっていた。その授業で、与えられたトピックのひとつを選んでリサーチをまとめ、日本語で十分間の発表をするのが課題となっており、その準備をしているところだという。

Louie が選んだトピックは、「縄文時代の日本文化」だった。

WHY?!? なぜよりにもよってそんなニッチなトピックを選んだわけ？ そんなの、私だって知らない用語があれこれ必要じゃない？——私は半ば呆れてそう訊いた。

日本のことを勉強している学生なら、江戸時代くらいから先のことは多少知っているけど、それ以前のことはあまり習わないから、面白いと思って——Louie はあっさりそう言うだけだった。「それ以前」といったって、せめて古事記くらいでよさそうなものだと思ったが、Louie は私よりずっと、縄文時代に興味をもっているようだった。

図書館でコピーしてきた資料や借り出してきた日本語の本を勉強机にどんと積み上げ、夜遅くまで辞書を引きながら、せっせとなにやら調べている。すでに縄文時代についての知識は私より多そうだ。日本史ではなく語学の授業なのだから、評価されるのは日本語であって、本格的なリサーチやオリジナルな論旨は求められていないのではないだろうか。ここまで資料を読み込む必要はないのではないだろうか。そう思ったが、Louie はそんなことはとんと気にしていないようで、真剣そのもので机に向かっている。

発表の前日の夜、私がベッドに寝そべって本を読んでいるあいだ、Louie は勉強机で、ひととおりのアウトラインを作ってから、原稿用紙に一文字一文字、ゆっくりと丁寧に、漢字やひらがなで文章を書きはじめた。私はその様子を冷やかしで後ろから覗いていたものの、これでほんとうに今晩中に発表原稿が仕上がるのだろうかと、余計なお世話ながら心配になってきた。

「手伝おうか？」と申し出てみたが、

「ひととおり自分で書いてからまちがいを直してもらうから、まだいい」と、たいへん真面目である。

前日までは、勉強の最中にもときどき、ベッドでラップトップを文字どおり膝に乗せて論文の草稿に手を入れている私のところにやってきては、study break とかなんとか言って make out してはふたたび勉強に戻ったりしていたのだが、この日は私が後ろから腕をまわして首筋にチューをしても、空いた手を伸ばして私の髪を触るだけで、そのあいだも、辞書と資料と原稿用紙とにらめっこのままだった。

その真剣ぶりにまずはびっくりした。そして、Louieの男らしい背中とポニーテールを見ているうちに、そして彼がゆっくり書く日本語の文字を見ているうちに、こんなに一生懸命に日本語を勉強してくれるひとがいるのだと、胸が熱くなった。日本と日本人を代表して、深く頭を下げてお礼を言いたい気分にすらなってきた。

Louieの書く日本語の文字は、日本人の書く文字とはあきらかに違う。形や書き順を一生懸命覚えて書いているのがわかる、可愛らしい文字なのだが、教科書に印刷された文字を同じように真似しながら書くのでも、日本の子供が書く文字ともなにかが違う。そういえば、日本で育った日本人の書く英語の文字も、アメリカ人の筆跡とは確実に違うし、中学の頃にペンパルとして文通していたザルツブルグの女の子の英語の筆跡も、アメリカ人の友達の書く文字とはずいぶん違ったのを思い出した。

先に眠っていると、夜中の十二時を過ぎた頃、Louieがベッドにやってきて、耳元で囁いた。

Hey, Mari. Sorry to wake you, but I just finished my draft. Do you mind taking a look?

眠いのはたしかだが、Louieはこんなに真剣に縄文時代のことを調べて、一生懸命日本語の勉強をしてくれているのだ。私は起き上がり、原稿用紙に書かれたLouieの日本語を読みはじめた。

最初の一文はきちんとしていた。だが、その次の文あたりから、「てにをは」や動詞のまちがいが出てきた。日本語がいかにややこしい言語かに、あらためて気づかされた。はじめのうちは、Louieが使ったのと同じ鉛筆で訂正を入れていたが、そのうちに直した箇所で紙がいっぱいになって、見にくくなってきた。私はベッドを出て、さっきまでLouieがせっせと執筆をしていた机に向かった。

「色のペンか鉛筆ある？」と言うと、Louieは無言で赤ペンを差し出した。

しばらくして、私はひととおり直した原稿をLouieに手渡した。

Here you go.

Louieはしばらくそれをじっと見入っていたが、私の添削をきちんと理解しているかどうか確認するために、音読してみると言って、Louieは私に向き合ってベッドの端に座った。そして私の朱の入った「縄文時代の日本」の文章を、ゆっくり声に出して読んだ。

「オッケー、ちゃんと言えてる。でも、これを見ながら発表するんだったら、新しい原稿用紙に清書したほうがよさそうじゃない？」

「うん、僕もそう思う。これからやるから、マリはもう寝てていいよ。どうもありがとう」とキスをして、また真剣な表情で机に戻っていった。

翌日、私がふたたび博士論文をいじっていると、縄文時代の日本文化についての発表を終えたLouieが帰ってきた。

「うまくいったよ。よく調べたねって、先生も褒めてくれた。どうもありがとう」

私は心からうれしかった。

＊

その次の夏、こんどは東京で、私はLouieと再会した。私は就職が決まったハワイに引っ越す前の一時帰国、LouieはＭＢＡを取得して、アメリカの投資銀行の東京支社でのインターンをするため、日本にやってきたばかりだった。髪は切ってあった。長髪のポニーテールで投資銀行のインターンはできないらしい。

これまでと違う場所での出会いという興奮も重なって、西武線沿いのLouieの小さな賃貸アパートで、壁が薄いのを気にしながら、私たちは以前よりもより奔放に身体を重ねた。

縄文時代の日本文化について発表してからさらに日本語の授業をとったLouieは、ほぼ不自由なく日常会話ができるまで日本語が上達していた。いちいち通訳しなくていいのならこちらも楽だと、私の友達も誘って一緒に飲みに行った。

居酒屋に入って、みんながメニューを眺めていると、Louieがいち早く、テーブルの端で待機している店員さんに顔を向けて、大きな声で言った。

「ナマチュウひとつ」

「ルイ、だいじな日本語、よく知ってるね。じゃあ私もナマチュウひとつお願いしま〜す」

「俺もナマチュウ」

そうやって始まった夜は、Louieのベトナム語の本名の正しい発音をみんなで教えてもらったり、友達の仕事についてLouieがあれこれ話を聞いたりしながら、楽しく過ぎていった。掘りごたつテーブルの下で、私とLouieは足を絡ませていた。

その夜をLouieのアパートで過ごし、翌朝、インターンの初日に出かけていくLouieと一緒に電車に乗った。二日目以降は満員電車で通勤しなければいけないが、初日のオリエンテーションは集合時間がやや遅く、ラッシュアワーのピークは過ぎていた。電車は息もできないほどのぎゅうぎゅう詰めでもないが、じゅうぶん混雑はしていて、手を握ったりお互いの背に腕をまわしたりしても、鬱陶しい視線を向けられることもない。

夏には背広やネクタイなしで通勤するサラリーマンが増えてきて、私たちのまわりでも、開襟の半袖シャツの男性が、週刊誌の吊り広告を見たり、縦折りにした新聞を片手で器用に持って読んだりしている。

西武線から山手線に乗り換え、ドアの横に立って小声でしゃべっているうちに、目の前にある Louie の顔がとつぜん、私の全世界を覆った。

新大久保駅を出て、電車が加速した頃だった。

Do you think you would be happy if you married me?

なぜ自分の口からとつぜんそんな言葉が出るのかもわからなかったが、考えるまもなく言葉は発せられていた。

Louie はほんの数秒だけ考えてから、

Yeah, I think I'd be happy if I married you.　あっさりとそう言った。

まさか、「いや、不幸になると思う」と言われるとは思っていなかったので、驚きはしなかった。驚いたのは、次に自分の口から出た言葉だった。

Will you?

だいじなインターンシップの初日に出かけていく山手線のなかで、とつぜん結婚を申し込んで、その場でイエスと言われると思ったわけではなかった。かといって、冗談で言ったわけでもなかった。ただその瞬間、思ったのだった。このひととなら人生を共にしたい、と。

Louie はしばらくなにも言わずに、じっと私の顔を見た。

Are you being serious?

電車が減速しはじめていた。Yes という以外に、言うべき言葉は思い浮かばなかった。まわりの乗客が、降りる準備のため、小さく身体を動かしはじめた。

Obviously we'll talk soon. I'll call you, OK?

電車が止まってドアが開く寸前に、Louie はそう言って、頷く私が手すりにかけた手をキュッと握ってから、新宿駅のホームの人混みの中に消えていった。

山手線での「プロポーズ」の数日後、私の日本滞在最後の夜に、インターンから帰ってくる Louie のアパートの最寄駅で待ち合わせて、近くの居酒屋に行った。

ナマチュウで乾杯してから、Louieはためらわずに本題に入った。

「結婚って、前から真剣に考えてたの？　僕とのことを、そういうふうに考えてたの？」

そうだったとしたら驚きだという口調ではあったものの、問い詰めるような調子でも、非難するような調子でもなかった。

「ううん、そういうことじゃない。そもそも私、結婚じたいだって、そんなに興味があるわけじゃないし」

「じゃあ、なんでとつぜんあんなこと言ったの？」

「考えるまもなく口から出てきたの。でも、だからって、冗談で言ったわけじゃない」

「じゃあ、ほんとに僕と結婚したいと思ってるの？」

この数日間ずっと、私が自分に発しつづけていた問いだった。

私は意を決して言った。

「私たちは全然別の世界で、別の人生を生きてきたし、これからも違う世界で別の人生を生きようとしている。だから、私たちが結婚してどこかで一緒に生活するってことが、今は現実的でないのはよくわかってる。

私だって、頑張ってなんとか仕事を手に入れたところだし、これからやるべきこともやる気もいっぱいだから、それを投げうって結婚してルイの行くところについて行くつもりはないし、Louieが私の仕事や生活に合わせてくれるなんてことを望んでいるわけでもない。

そういう意味では、Louieと今、いわゆる普通の結婚をしたいっていうわけじゃない」

そこまで言って、私はナマチュウを口に運び、ひと息ついてから続けた。

「ただ、このあいだ、電車に乗ってるときに、ふと、Louieと一緒にいて幸せだなって思ったの。それで、ぽろっと結婚って言葉が出てきたのには、自分でもびっくりした」

Louieはこちらをじっと見ながら黙って聞いていた。

「もちろん、前からLouieにはとくべつな気持ちはもってたし、これまでのほかのボーイフレンドとは経験したことのない、intenseなつながりはいつも感じてた。それが恋愛感情なのかは、考えないようにしていたんだと思う。普通につき合えないのに恋愛感情をもってるのは辛いから」

もういちどナマチュウで口を潤して私は言った。

「でも今回は、前とは違う、刺激とか欲望とかとは別の、信頼とか安心感みたいなものを感じたの。それが、私が一方的に感じてるだけのものか、Louieもそう思ってるかどうかはわからない。でも、そう思ってるって自分で気づいたからには、それを言わずにまた海の向こうに行ってしまうのはよくないと思うから、こうしてあらためて言っておく」

これまでなんども、男性に手紙で気持ちを訴えたことも、取り乱して感情をぶつけたこともあった。だがこんなふうに、面と向かって自分の思いを整理して話すのは、はじめてだった。英語だからこそできることのような気もした。

居酒屋で枝豆をつまみながらこんな話をしているのも、なんだか笑えるな、でも、混んだ山手線のなかで結婚を提案したあとの会話だから、まあそんなものか。Louie の沈黙を前に、そんな思いがとりとめもなく頭のなかにぼんやりと浮かんでは消える。注文した料理が目の前に並びはじめた。

Louie は真面目な顔で、こちらをまっすぐ見て言った。

「そう言ってもらえるのは、ものすごくうれしいし、自分の身に余ることだと思う」

そう始まった時点で、私は理解した。Louie は私と結婚しないのだ。答えがイエスなら、ここですでにイエスという言葉が出ているだろう。

そのことじたいは、驚きもしなかった。もちろん、うれしくはないが、奈落に突き落とされるという気持ちでもない。それより、その先に Louie の口からどんな言葉が出てくるのか、純粋に興味があった。

「最初に会ったときから、マリとの関係は、僕にとってもとくべつなものだった。僕たちはいっつも、遠く離れたところに住んでいる。お互い別の恋人がいることもあった。だから、普通の恋人関係じゃない。でもマリは、僕にとってとくべつな女性だ。会うたびに新しい発見があって、つながりが強くなったし、マリの言うように、今回は今までと違うなにかがあったと僕も思う。僕たちの年齢とか、これまで経験してきたこととか、ふたりとも人生のひとつの節目に立ってるとか、そういうこともあるのかもしれないけど、とにかく、僕たちのコネクションは深まったと思う。だから、マリがそんなふうに僕のことを思ってくれてるのはうれしい」

その後に「でも」という言葉が続くのは、もうわかっていた。

「でも、僕はいま、結婚を考えられる状況でも気分でもない」

それはわかってる、さっき言ったじゃない、それは私も同じなんだから――と言おうとすると、Louie はそれを遮るように、「それに」と言葉を続けた。

「僕はいつか結婚するんだとすれば、ベトナム系の女性と結婚したいと思ってる」

不意をつかれて、とっさに言葉が見つからなかった。

イエスと言われるとは思っていなかったが、ノーと言われるにしても、この理由は想定していなかった。

「マリはものすごくエネルギッシュで聡明で奔放でセクシーで、ベッドでも最高だし」とチラッといたずらな笑みを浮かべたが、真面目な口調で続けた。

「マリと結婚したら自分は幸せになると思う。でも、僕の人生には、ベトナム難民として生きてきたってことが、決定的な意味をもっている。だから、結婚して子供を作って、僕の親やきょうだいや親戚の一員となってもらう相手は、ベトナム難民として生きることの意味を経験として知っている女性、と思ってる」

ベトナム難民としての経験がLouieのアイデンティティの大部分を占めていることは理解していたつもりだったが、人生や結婚についてこんなふうに考えているとは、認識していなかった。この数日間で絆が深まったと勝手に思い込んでいた矢先のことだっただけに、なおさら衝撃を受けた。

ベトナム難民として生きてきた女性でなければLouieのことをほんとうに理解して愛することができないとは私は思わないけど、Louieがそう思っているんだったら、ベトナム難民でない私にはどうすることもできない——そう言いながら、私は刺身に箸を伸ばした。

I'm sorry, I don't mean to hurt you. I'm being honest.

Yeah, I know. I appreciate your honesty. I'm not hurt. But I'm disappointed. I do think we'd make a great couple.

一生懸命、笑顔を作って言った。正直な気持ちだった。

ふたりともしばらく静かに箸を動かした。

私がナマチュウのジョッキをテーブルに置くと、その手にLouieが自分の手を重ねて言った。

So, what now?

いい質問だった。この会話のあと、私たちはどうする、どうなるのだろう。この店を出たあとでも「私たち」はあるのだろうか。

「わかんない」

正直に言った。

私は明日アメリカに戻り、少ししたらハワイに引っ越して、仕事を始める。Louieはインターンをしながら就職活動をする。そのうち、それぞれまた、別の恋人ができるかもしれない。その相手と結婚するかもしれないし、別れるかもしれない。またふたりでこうやって会うのは、いつ、どこになるかわからない。そうやって会ったときに、これまでのように肉体関係をもつのか、それともプラトニックな友達関係に変わっているのか。

そんな先のことより、いまこの私は、いったいどういう気持ちなのか、どういう気持ちになるべきなのかも、わからなかった。私は大失恋をしたのだろうか。それとも違うのだろうか。

これまでに経験したことのない種類の戸惑いで頭がいっぱいになりながら、店を出た。自転車がたくさん並んだ駅の手前の角で、私とLouieはしっかりと抱き合い、行きかう人たちに嫌な目を向けられない程度のキスをした。

そして私は、手を振って改札に入った。

On the Matter of Eggplant

Josh and I had a special relationship. Like many Jewish intellectuals I knew, he was engaging and fun to talk to. But I knew that many people found his engagement excessive. He clearly did not know the concept of choosing one's battles, and if he disagreed with you, he would never let it go and would keep on arguing even after everyone else had left the party, literally and figuratively. He was exhausting. But I had a soft spot for him. Maybe it was because he was a scholar of another culture—he was a Sanskrit scholar by profession—and had committed himself to a long and intensive study of a difficult language and had lived in various parts of Asia that I felt he understood what it meant for me to live in America and specialize in American Studies. Or maybe it had nothing to do with any of those things and was just plain old chemistry.

In any case, I had felt that Josh got me on some intuitive level. I felt that way especially when we were talking about books. During one of our dinners, I went on and on about Philip Roth's *The Human Stain* which he hadn't read. Then he surprised me about a month later by telling me, quite matter-of-factly, that he had read the book since our last dinner. I didn't even care what he thought of the book; I was just delighted and touched that he bothered to read it. But when I heard him say, "It's a lot more interesting than the initial premise lets on. And I like that French woman professor. At first she comes across like an obnoxious smart woman who is just good at maneuvering American academia, but later on you realize that she is actually a lot more complicated character," I was so excited that I almost banged the wine glass on the counter to free my hand so that I could put my arm around him.

"YES! THANK YOU! Yeah, I think that French professor is a really crucial character! And I really identify with her personally, you know. Remember her long monologue, where she uses the word 'fluent' over and over? I know exactly what she means. As a foreign scholar, you can learn to be fluent in English or academese, but it's a lot harder to be truly fluent, culturally fluent, and even after years and decades of living in the country, you are still not quite confident in your fluency! I so identify!" I squeezed Josh's arm with my hand that was not already on his shoulder.

But then there was The Eggplant Incident.

It happened when Joanne came to visit me in Hawai'i with her husband Jeff shortly after I bought my condo. Until she became friends with me during graduate school, Joanne had hardly had any Japanese food. But once I took her to a sushi restaurant just outside Providence and introduced her to uni, she fell in love with it so much that she wanted to go have uni every time we could find an excuse.

Joanne and Jeff came to the island for a family wedding and became my first houseguests at the condo. Joanne was eager to go to a Japanese restaurant, since she didn't have anyone to go with in Rhode Island after I left. I took them to Tokkuri-tei, my go-to izakaya. Joanne perused the menu with a twinkle in her eyes, but finally looked up and said with a big smile, "You order for us, Mari. I'd be happy with anything." So I ordered, along with some sake, a range of typical izakaya fare. One of them was nasu-dengaku.

"Ooooh, yum! That sounds great! But Jeff won't eat it, which is good, because I get to eat for him," said Joanne.

"Why? You don't like eggplant?" I asked Jeff. He raised his eyebrows a little but didn't say anything. He is a quiet man. So quiet that I couldn't quite picture him in court, though I knew that he was a successful and respected lawyer committed to defending underprivileged people. Joanne answered in his stead.

"It's not so much that he doesn't like it, but he doesn't eat those unusual things. This man is politically very progressive, but he's quite conservative when it comes to food," she said as she teasingly tapped Jeff on the back. Jeff did not dispute the claim. I was stunned.

"Wait, what? Eggplant is 'progressive'?" I knew this didn't come out right. "*I* love eggplant, but foodwise Jeff is very much a meat-and-potatoes kind of American, so for him eggplant must be in the same category as, like, mushrooms. Right, Jeff?" She turned to Jeff and affectionately patted him on the shoulder, and he again didn't say a word but nodded in affirmation. He looked perfectly comfortable with, even proud of, his preferences, like someone who announced that he would never eat foie gras.

"Whaaat? Mushrooms are progressive, too?" I was even more confused.

"Well, you know, they are in a different category than things like carrots and potatoes."

"How?"

"To people like Jeff, maybe eggplants and mushrooms are things that the French or the Italians eat. You know, 'foreign.'" It was beginning to sound like we were talking about duck confit and escargot.

"Really??? Eggplants and mushrooms are 'foreign' in America?" Whoa. This was eye-opening.

A while later, I excitedly reported on the conversation to Josh.

"Listen, listen, I have to tell you something."

I had expected that Josh would appreciate the story. I had already been living in the US for more than fifteen years, not counting the California years, and had felt generally comfortable with my English language skills and cultural familiarity, but even now, there were these new little discoveries, and they are made on the most mundane occasions like ordering nasu-dengaku at an izakaya. I thought that Josh in particular would share my amusement.

But Josh's reaction was not what I expected.

"Well, yeah. Eggplant is not the same as carrots and potatoes," said he, as if he were telling me that the sun is not the same as the moon.

"Yeah, I realized that once Joanne explained it to me. But don't you think it's interesting that I didn't know that until now?" I tried to induce sympathy with my self-deprecating smile.

"I've lived in America for a pretty long time now, and I think my English is pretty good, and I'm a professor of American Studies, of all things. So I thought I knew some things about American culture, you know. But you can read hundreds of books and articles and analyze archival sources and discuss current affairs, and still not come across the information that for the meat-and-potatoes kind of Americans, eggplant is progressive and foreign!"

What you learn through reading and what you learn through living are not the same, and for foreigners, the latter is a lot harder than the former. Culture lies precisely in trivial details of everyday life, like ordering food. I had thought that Josh, of all people, would appreciate that more than many other people. I mean, that's what the French woman professor in *The Human Stain* was lamenting about! We had bonded over that not that long ago! Why am I now having to use all these words to explain to Josh why I found the eggplant conversation with Joanne so interesting ? And the more I explained, the less interesting the whole thing seemed to feel. I was deflated.

Far from taking interest in my explanation, Josh was now looking upset. The more I tried to tell him how interesting all of this was, the more irritated and bored he looked, like I was stating the obvious.

"What I think is sort of funny is that I had no occasion to learn the obvious until now. Don't you think it's funny that I realized the difference between academic knowledge and street smart through EGGPLANT?" I had a feeling that "street smart" weren't quite the right words to talk about the status of eggplant in American food culture, but I didn't care. I just wanted Josh to share my amusement. I then tried to appeal to his own cross-cultural experience. "You must have had things like this when you were in India, right?" But Josh, who seemed to have made up his mind about the matter early in this exchange, only looked more firmly upset.

Okay, it's fine if he doesn't share my amusement. But why does he have to get upset about this? I kept on repeating my point, and with each sip of wine I drank, the existential weight of The Eggplant Incident multiplied.

I know I am fairly easy to provoke and somewhat on the stubborn side. But Josh took stubborn to a whole new level. And he had an extraordinary ability to leap from Point A to Point Z. Within a few minutes, our conversation about The Eggplant Incident spiraled into an argument over critical theory and postcolonialism. Somehow, in Josh's mind, my ignorance about the progressive nature of eggplant was to be blamed on the failure of cultural studies and my inadequate knowledge of phenomenology. I no longer had any idea what on earth we were arguing about. If at least one of us had been a bit more mature, we would have paused and laughed about it and moved onto another conversation. But alas neither of us was mature enough, and both of us had enough wine, which meant that we kept on arguing fiercely about eggplant for well over half an hour, our faces red and our fists pounding the table. I was too exhausted afterwards to even remember how the conversation ended.

More than ten years later, when I was reading García Márquez's *Love in the Age of Cholera* in the midst of the pandemic, I found that the protagonist agreed to marry her husband under the condition that she would never have to eat eggplant. The matter of eggplant can really make or break a relationship.

詩人のキス

ハワイ大学では、第一限の授業は朝七時半に始まる。

janitorが教室やトイレを掃除したり廊下のゴミ箱を空にしたりするのは、それよりさらに早く、たいていの教員はその様子を見ることはないが、各オフィスのゴミ箱を空にするのはそのあとで、教員が仕事をしている時間のことが多い。janitorはドアを軽くノックして合図してから、ささっと中に入ってゴミ箱を手に取り、廊下に置いてある巨大な容器にゴミを空け、またささっとそのゴミ箱をもとの位置に戻して次に移動する。

たいていのjanitorは、オフィスに入るときに、せいぜいHi.とかGood morning.と挨拶するだけ、教員のほうも、Thank you.と言うだけで、それ以上のやりとりはどちらも求めていない。いっぽうで、アジア人女性が圧倒的多数を占めている事務職員は、janitor

が来るたびに、なにかにつけてちょっとおしゃべりをするので、janitor の名前だけでなく、家族構成や住んでいる場所、前の職業などを知っていることが多い。

私がこの大学に勤めはじめてから最初の数年間、私たちのフロア担当の janitor は、Howard という日系人のおじさんだった。Howard は、私の両隣の教授たちのゴミ箱を空にするときにはなにも言わず会釈だけして用を済ますのに、私のオフィスに来ると、私が Hi あるいは How are you? と言うだけで、昨日は親戚の集まりが遅くまであって疲れたとか、週末は釣りに行っただとか、あれこれ話しはじめることが多かった。

オフィスのドアにかかっているネームプレートを見ても、姿を見ても、私が Japanese であることは一目瞭然だが、ハワイ出身の日系人でないことは、少し会話をすれば、地元の人にはすぐわかる。Howard は私に、どこで育ったのかとか、親はどこに住んでいるのだとかといった質問をした。子供はいるのかとか結婚しているのかと訊いてくることもあった。夫も家族もなくひとりでハワイに住んでいるのだと知ると、独特の抑揚で、Eh, fo' real? と驚きを表した。

Howard はコテコテの Pidgin を話す。ハワイに来たばかりの頃は、道路工事のおじさんたちのやりとりや、地元の庶民的なレストランに集まる大家族の会話や、昔からの知り合いらしい人たちが散歩中に道端でしている噂話などから聞こえてくる、Pidgin独特の言葉遣いやリズムや声音や抑揚に戸惑ったが、慣れてくるとそれがむしろ心地良く感じるようになった。

ただし、心地は良くても理解はできない。Howardに話しかけられると、私はなんどもWhat?を発することになる。いくらWhat?を繰り返しても、たいていはなにを言っているのかさっぱりわからないので、ちょっとうしろめたい気持ちになりながら、理解したふりをして適当に相槌をうって済ますことが多かった。Howardも薄々気づいていたのだろうが、それをべつだん気にする様子もなく、しばらくひとりでしゃべってから、満足したように、OK, have a good day, yah? とかなんとか言って出ていくのだった。

やがてHowardは退職した。退職するという情報を事前に手に入れたのは、やはり事務職員だった。学科の教員と事務職員は、ひとり二十ドルずつ集めて、ローカルの日系人に人気だというビュッフェレストランのギフト券をプレゼントした。最終日にHowardがオフィスに来たとき、私はちょうど席を外していた。事務職員に訊いてみると、「ああ、もう仕事終えて帰ったわよ。プレゼントはみんなからのものだって言って、渡しておいたわ。ありがとうって言ってた」と、あっさりしたものだった。

Howardのかわりに、Xavierというおじさんがやってきた。

Xavierは、Howardに輪をかけてよくしゃべるひとだった。Howardと違ってXavierは、事務職員と私だけではなく、Bruceという年配の白人男性教授とも、なにやらよく話し込んでいた。どうやってそういう展開になったのかは知らないが、小雨の降るなか、オフィスの建物の隣にあるカフェテリアの屋外の席で、XavierとBruceがチェスをしているのを目撃したこともある。ただしXavierは、同じフロアにいるほかの白人の教授には、恭《うやうや》しげに会釈するだけで会話はしていなかったから、気軽に話しかけて大丈夫な相手とそうでない相手を、彼なりに見定めているのだろう。

よくしゃべるとはいっても、エルサルバドル移民のXavierの英語は片言で、私が理解できる度合いはHowardのPidginとどっちもどっちだった。janitorの彼が、断片的な単語を並べた時制のない英語で、まったく臆せず教授のBruceや私に気軽に話しかけてくる。Xavierは、私たちが教授であることなど認識していないのかもしれない。いや、ぼんやりと認識はしていても、それに意味を見出していないのかもしれない。そんなことを気に留めるのは、私の階層意識のあらわれかもしれない。——そんな考えが、頭のなかをごちゃごちゃとめぐった。

いつハワイにやってきたのかとXavierに訊くと、十年ほど前だという。それだけ長くここに住んでいて、これだけ積極的にひとと話をする人間なら、もう少し英語が上達していてもよさそうなものだと思ったが、考えてみれば、何十年もアメリカに住んでいながらほとんど英語を話さない移民はいくらでもいる。大きなお世話だ、かつて自分も英語で苦労した身でありながら、そんな英語至上主義を再生産してはいかんと、自分に言い聞かせる。

Xavierはときどき、私のゴミ箱を空にするついでに、I give you present. などと言って、肩から斜めがけにしているバッグからマンゴーを取り出して、私にくれることがあった。エルサルバドルのものらしいお菓子のこともあった。おそらくホノルルでの私の生活圏外に、中南米のひとたちが買い物をする店があるのだろう。

あるとき、Xavierがうれしそうに報告にやってきた。英語のクラスに通っているのだという。仕事が終わってからの時間に通える、社会人のためのESLのクラスがあるのを知って、通いはじめたらしい。もう長いことハワイにいて、これから先もここに住むから、やはり英語を勉強しなくてはいけないと思ったのだと、並べた単語と身振り手振りで

Xavierは私に決意を宣言した。

Oh, that's great, Xavier! Good for you!

つい、子供を褒めるような口調になってしまう。

Yes. I study hard.

その後の数か月で、Xavierの英語は驚くべき急カーブで上達していった。こんなに早く上達するのだったら、もっと早くに勉強を始めていれば、ハワイでの生活もずっと楽だったろうにと、お節介な思いが浮かぶほど、あれよあれよという間に、Xavierの口から出る英語は文法が整い、語彙も豊富になっていった。

やがてXavierは担当が変わったらしく、私たちの建物からは姿を消した。Bruceによると、Xavierは図書館の担当になったらしい。janitorの担当として、私たちの建物と図書館のどちらがよいのかはよくわからないが、Xavierはご機嫌だったよ、というのがBruceの報告だった。

その年は異常気象で、延々と雨が続いた。

ホノルルでは、雨が降ってもたいてい短時間で止み、一日じゅう大雨ということはまずない。よほどの土砂降りでないかぎり、車と建物のあいだ、あるいは建物と建物のあいだくらいなら、走れば少し濡れる程度なので、傘を持ち歩くこともめったにない。それがこの年は、明けても暮れてもひたすら雨という日々が、まる一か月以上も続いた。

大学図書館の地下が浸水したというニュースが、テレビで流れた。図書館の地下は、政府関係の文書や地図などが保管されているフロアで、貴重な資料が壊滅状態になってしまったらしい。絶望の表情で取材に応えるライブラリアンの姿が画面に映った。

数日後の地元新聞には、図書館浸水のニュースが大きく載っていた。地図室の様子を写した大きな画像の下に、見おぼえのある顔がある。よく見ると、それはXavierだった。図書館の話題なので、ライブラリアンを取材するのは当然だろうが、それに加えて人間ドラマをということで、janitor のXavier にもインタビューをしたらしい。Xavier とその家族がエルサルバドルを出てからハワイに来る前はどこに住んでいただとか、ハワイ大学ではいつから仕事をしているのだとか、私の知らなかったことがあれこれ書いてある。

それだけではない。その記事には、Xavier が書いたという詩が掲載されていた。故郷を遠く離れて移住してきたこの島で、パラパラと雨が降った後の樹の匂いが自分は好きだが、その同じ雨が、島の人たちにとって大切なものを呑み込んでしまった、自分はひとつひとつ言葉を学んで、本が読めるようになったが、その本たちが水に溺れてしまった――というような意味の詩だった。きちんとした英語で、詩心のある、まさに詩として書かれるべき言葉だった。

一週間ほどたって、わずかのあいだ雨が止んだ隙に、カフェテリアにコーヒーを買いに行くと、図書館側の入り口の前に Xavier が立っていた。

Xavier! You are a star!

Xavier は照れた様子もなく、ゆとりのある笑顔を見せた。新聞に写真と詩が載ってから、いろいろな人に賞賛されたのにちがいない。

英語を勉強しているとは言ってたけど、詩まで書くとは知らなかった。いい詩だったよ! You are now a published author! Congratulations! と言うと、Xavier は素直にうれしそうな笑みを浮かべた。

＊

そのあとしばらく、Xavier の姿は見なかった。

私はそう頻繁に図書館に行くわけではないし、行くのは授業や会議の終わった夕方のことが多い。朝の六時台から働いている janitor たちは、午後の早い時間にはもう帰宅している。同じ時間に図書館のどこかにいたとしても、仕事柄、Xavier は一か所にじっとしてはいないので、会わなくても不思議はない。顔を見ないうちに、Xavier のことは私の意識の後方に退いていった。

数年もたっただろうか。午後の陽が傾きかける頃、用があってキャンパスの反対側に行くため、図書館の横を通ると、入り口の近くに懐かしい Xavier の姿があった。目が合うと、Xavier はうれしそうにこちらに歩み寄ってくる。

Hello, Xavier! Long time no see! How have you been?

少し歳を取ったように見えたが、それはお互いさまだろう。

Oh, beautiful lady! I am SO glad to see you!

Xavier は大きな笑みを浮かべて、やや大袈裟に言った。私のオフィスのゴミ箱を空にしていた頃は、マンゴーやお菓子をくれることはあってもbeautiful lady などという言葉を口にすることはなかった。こうした表現がすぐ口から出てくるのは、それまで抑えられていたラテン系アメリカ人男性の天性の気質が、英語の上達とともに表出してきたからなのだろうか。それとも、ハワイでの暮らしが安定するとともに出てきた、男性としての余裕なのだろうか。

元気だった？　あれからずっと図書館で仕事しているの？　と質問はしてみたものの、立ち止まって答えを待っていると話が長くなるような予感がして、私は急いでいる様子を顔と身体で示した。

Yes, yes. I'm doing very well. You look beautiful. Very pretty.

ひさしぶりにXavierの姿を見たのはうれしかったが、なんだか面倒なことになりそうなので、It's great to see you! I gotta go to a meeting. I'll see you soon! と言って、その場を去った。じっさいにミーティングに行く途中だったのだから、嘘をついたわけではないと、自分を納得させた。

それからもなんどか、似たような遭遇があった。そしてあるとき、私が図書館で本を借りて外に出ると、前の広場にXavierがいた。私は自分のオフィスに戻るだけで、急いでいたわけではないし、Xavierを避ける理由もないので、立ち止まって会話をすることにした。

Xavierはふたたび、私がいかに美しいかと繰り返した。こういう台詞は、いちどなら適当に愛想笑いをしていれば済むが、なんども言われると反応に困る。求愛されているならともかく、相手はjanitorのXavierである。私の美貌から話題をそらすために、「今も詩を書いているの？」と訊いてみた。
張りきっていろいろ自慢話をするのではないかと期待していたのだが、この問いへの Xavier の反応は意外に鈍く、うん、まあ、少し、といった以上のことは言わなかった。なにかほかの趣味ができたのだろうか。
ごちゃごちゃと small talk のようなやりとりが少しのあいだ続いたあと、Xavier はとつぜん宣言した。
I am very happy now.
それはよかった。あなたが幸せなのは、私もうれしい。
I go to church.
私は反応に詰まったが、それを露わにしないようにして、空いてしまった一瞬の間を急いで埋めるように言った。
Oh. You started going to church?
若い頃に教会に行かなくなってから、何十年もすっかり足が遠のいていたのだが、いろいろな経緯があって、ふたたび教会の戸を叩いてみたのだという。
I was saved. 自分は救われた。

私の美貌を讃えていたおじさんと同一人物とは思えない、真剣な眼差しと言葉だった。いや、この一文を聞いたあとで振り返ってみると、私の美貌を讃えるときも、ラテン系男性独特の挨拶というだけではない、こちらを当惑させるような熱心さがあった。私はいよいよ反応に困った。それはよかった、おめでとう、と言うのも変だし、かといって、どういうプロセスを経てどのように救われたのか、具体的な話を聞いてみる気にもならない。頭のなかを形状のない渦がぐるぐるまわった。

ずっと教会を拒絶していた自分は愚かだった。何十年間も人生を無駄にしてしまった。そのあいだに、悪い行いをたくさん犯してしまった。でも、神は慈しみ深い。自分のような人間を受け止めてくれる。教会に行って、神を見いだし、自分は救われた。教会に行くようになって、familyも手に入れた。妻や子供や孫だけでなく、教会の人たちも隣人たちも、みんなfamilyなのだ。自分はfamilyの愛を見いだした。そしてタバコも酒もやめた。自分はいま、新しい人生を生きている。

Xavierは、アクセントはあるが流暢な英語で、滔々と語った。私はますます言葉に詰まった。しかし、これだけ熱を込めて身の上を語ってくれているのに、なにも反応しないのも失礼なので、Good for you, Xavier. I'm glad you're happy. と言った。そんなつもりはないのに、なんだか上から目線のような口ぶりになってしまう。

するとXavierは、私の目をまっすぐ見て訊ねた。

Do you go to church?

No. No, I don't go to church. いや、行かない。

それ以外に答えようがなかった。

You don't go to church?

Xavierは落胆を隠さず、なにかのまちがいではないかと確認するかのような顔つきで言った。

No.

私の気が変わりそうもないのを察知したらしいXavierは、それ以上なにも言わなかった。

じゃあまたねと挨拶して、私はオフィスに向かった。Yes, I will see you again. と言いながらXavierは私の手を取って、ぎゅっと握った。

さらにしばらくたってからのことだった。

キャンパスのあちこちで、やたらとXavierと遭遇するようになった。同じキャンパスとはいえ、なぜここにXavierがいるのだろうと思うような、図書館とはだいぶ離れた場所で会うこともあった。私がだれかと一緒のときは、目が合っても会釈をするだけで寄ってはこなかったが、私がひとりのときは、かなり離れたところからでもさっと駆け寄ってきて、話をはじめる。私が教会に行かないときっぱり断言したので、宣教を試みはしなかった。そのかわり、私の美貌の称賛がさらに増えた。そして、会うたびに、表現される親密度が高まった。

私のオフィスのゴミ箱を空にしていた頃は、マンゴーやお菓子を分けてくれこそすれ、物理的にそれほど近づいてくることはなかった。座って仕事をしている私と、ゴミ箱を空にするXavierのあいだに、机という境界があったからだろうか。図書館の前で神の救いを語ったときも、別れるときに手を握っただけで、それでさえ私は少し面喰らった。

しかしいま、Xavierは私の姿を認めると、走ってやってきては、Hello, beautiful lady! と言って抱擁するようになった。こちらでは抱擁はふつうのことだ。友達同士でも同僚とでもするじゃないか。とくべつな意味はなかろう。何年も前から知っている相手だし、ましてラテン系の男性なんだし——と、私は自分を納得させようとした。

やがて、Xavier の親愛表現はさらに加速した。抱擁だけでなく、私の頬にキスをするようになったのである。教員や学生がまわりにたくさんいるキャンパスの通りで janitor の Xavier にキスをされるのは、居心地のよいものではなかった。

でもそれは、janitor への私の偏見ではないだろうか。いやそんなことはない、親しい教員だって、キャンパスで頬にキスはしないだろう。でも、親愛の情を示してくれている相手にやめてくれと目くじらを立てるのも気が引ける。まして学生たちが行き来するなかでそんなやりとりをするのは、Xavier の体面を傷つけることにもなるだろう。とはいっても、いったん親愛ベクトルが上昇しはじめた以上は、なにかのきっかけがなければ、それが逆方向に向くことはなさそうだ。

どうしたものかとひとりで気を揉んでいるうちに、ついに Xavier が頬ではなく、唇にキスをしてきた。さすがに、Xavier! と声を出したが、Xavier は軽く Sorry. と言いながらも、たいして悪びれた様子は見せなかった。

いくらなんでもこれは、親愛の表現の域を超えている。かといってどう対処してよいものやら、私は途方に暮れた。同僚や上司にあたる立場の人間が相手なら、セクハラと訴えることができる。学生と教員との関係についても、いろいろなガイドラインが大学で設定されている。しかし相手はjanitorである。私は彼を直接管理する立場ではないが、大学組織のヒエラルキーにおいても社会の構図においても、教授である私がjanitorであるXavierより上に位置しているのはまちがいない。私がXavierに嫌と言えない立場ではないし、嫌なら、ここまでエスカレートする前にはっきり意思表示をしておくべきだっただろうと言われても、反論はできないように思えた。

なんとか適当に理由を作って、私はその場を立ち去ったが、内心、かなり動揺した。Xavierと顔を合わさずに、これから大学で毎日を過ごすことができるだろうか。だいたい、Xavierの教会通いはどうなったんだろう。神に救われたことと、私にキスをすることに、矛盾はないんだろうか。

それいらい、ひとりでキャンパスを突っ切って別の建物に行くときには、あたりを見渡して、Xavierがいないかどうか確認するようになった。そして、かなり遠いところにでも彼の姿が小さく見えると、気づかれないうちに方向転換をして、ぐるりと馬鹿らしいほどの遠まわりをして目的地に行くようになった。なぜ私がこんなことをしなければいけないのかという思いが頭のなかをめぐったが、それ以外の解決策を追求する知恵もエネルギーもなかった。

同じ大学で仕事をする女性教員の友達と集まったときに、その話をしてみた。

Eeewwww!!!!

みんな声を揃えて、顔をしかめた。

On the LIPS?!?! That's gross!!!

Mari, you've got to tell him to stay the fuck off!!!

That's harassment!!!

みんな真剣に憤っている。

まったくもってみんなの言うとおりなのだが、止めてくれと本人に向かって言う気まずさを振りはらう勇気もなく、ましてやどこかに通報する気にはとうていならなかった。そんなことをしたら、何年間も苦労を積んできたであろうXavierの職が危うくなるだろう。まがりなりにも移民史も専門の一部で扱い、人種や労働をめぐる活動にもかかわっている人間としては、エルサルバドル移民のjanitorの立場を危うくするようなことはできない

——などとモゴモゴ言う私に、友達はキッパリと言い切った。

Yes, Mari. But this is also about gender and sex! It's male aggression!

たしかに、Xavier はエルサルバドル移民の janitor であると同時に、男性である。男性である彼が、女性である私に、望まない身体的接触をしているのだから、それは性的ハラスメントである。

And race! Do you think he would do that to you if you were a white woman?

たしかに、Xavier が白人の女性に対しても同じ行為をするとは想像しにくかった。Beautiful lady と言うことはあるかもしれないが、頬や唇にキスはしないだろう。Xavier の行為は、私がアジア人女性であることと結びついているのだろう。しかし、そんなことを証明する術はない。

Why do YOU have to literally walk the extra mile to go across campus???

おっしゃるとおりでございます。でも……。

唯一、私の困惑にいくぶんかの共感を示してくれたのは、Annanya だった。Annanya は、信念、理念、実践のすべてにおいて、この女性仲間たちのなかでももっとも芯のあるフェミニストであり、反人種主義者であり、移民の人権の主唱者である。そして彼女は、カルカッタの大学教授を両親に持つインド人でもある。

だからこそ、アジア人女性の大学教授という立場で移民の janitor である男性と接することの意味と葛藤を、察してくれたのだろう。Xavierについて具体的な対処法を提案してくれたわけではないが、う～むというAnnanyaの表情が、私が簡単に嫌だと言えないことへの理解を示してくれていた。

そういえばXavierの姿を見なくなった、つまり、変なまわり道をする必要がなくなったなあと気づいた頃、Xavierが退職したという噂をどこからともなく耳にした。

そしてある週末の朝、一緒に出かける友達が車で迎えに来てくれるというので、マンションの入り口で待っていると、来客用の駐車スペースに、どこにでもあるようなグレーの中古車が停まった。運転席と助手席の両方のドアが開き、出てきたふたりが、後ろのトランクを開けて、あれこれ荷物をおろしはじめるのが、友達の車を探して道路のほうを見る私の視線の片隅に入った。この場で毎日のように見かける、なんということのない光景だった。

友達の車がまだあらわれないので、見るでもなくゲスト駐車場のほうを見ると、どうやら助手席から降りた小柄の女性は、家事代行サービスのおばさんらしく、水色のポロシャツにコットンのズボン姿で、バケツやらモップやらの清掃道具を小さな荷台に載せている。

それを手伝っているのはだんなさんなのだろう、スペイン語と英語の混じった遠慮のなさそうな口調で、お互いなにやら言い合っているのが耳に入った。

おじさんがトランクのドアをバタンと閉め、じゃあとで、というような声をかけ、おばさんがひとり荷台を押してこちらの入り口に向かってくるとき、ふとそちらを見ると、そのおじさんはあのXavierだった。最後に姿を見たときから数年はたっていたし、とうぜんXavierは大学のjanitorの制服は着ていないし、いつもとは違う場所なので、目に入るものと頭のなかが一瞬結びつかなかったが、あらためてよく見るとたしかにXavierだ。びっくりして、思わずXavier! と大きな声をかけると、向こうはさっきからこちらに気づいていたようで、驚いた様子もなく、黙って会釈をした。

これから清掃の仕事をはじめる妻が目の前にいるのだから、かつてしたように、走り寄ってハグしたりキスしたりしないのはもちろんだが、意外なところで出会ってうれしいという様子すらない。どちらかといえば、こんなところで会ってしまって気まずいというような表情に見える。私のことをまるで知らないおばさんのほうは、あら、知り合いなの、くらいの笑みを浮かべているが、とくになにか言うわけでもない。

奥さんのいる場所でならむしろ安心してXavierと会話ができるような気がして、Are

you Xavier's wife? と声をかけてみようかとの思いが頭をよぎったが、Xavierがそんな会話を望んでいないのをその顔から感じ取って、私はなにも言わず、おばさんが通りやすいように、立っていた場所から数歩ずれた。

おばさんが建物のなかに入るのを見届けると、Xavierは運転席でエンジンをかけ、バックして曲がるときに私のほうをチラリと見たが、ただそれだけで、道路に出ていった。

Kitchen & Bath

ホノルルでマンションを買ってから二年後に、思い切ってキッチンのリフォームをすることにした。

自分と同じくらいの年齢の建物なので、あれこれの改装は必要だったが、マンション購入時には自分の想像力をはるかに超えたローンの額に頭がくらくらして、カーペット敷きだった床をフロアリングに変えるのが精一杯だった。それでも、建設当時のままの状態だったキッチンはあまりにも古びていて、それほど料理をするわけではない私にすら、使い勝手が悪かった。その気になったときにやらなければ、このままさらに何年間も、このままで生活することになるだろう。

そう思って、勇気をふりしぼってリフォームに踏み切ったのだった。

アメリカでは、百年以上前に建てられた家を好きこのんで買い、歴史的な要素を保ちつつ大小の改装を繰り返して、自分の趣味に合わせてタッチを加えながら住む人が多い。住宅リフォームは一大産業だ。それ関連の番組ばかり二十四時間放送しているケーブルテレビのチャンネルもあるし、スーパーのレジの脇にはインテリア雑誌がたくさん並んでいる。キッチンとバスルームに特化した雑誌も何種類もある。

そしてご苦労なことに、キッチンをリフォームするにしても、日本によくあるユニット式ではなく、全体のレイアウトはもちろん、キャビネットの素材や色、床のタイルの模様やカウンターの素材、流し台の形やサイズ、蛇口や金具のデザインに至るまで、それぞれすべて自分で選択するのだ。しかも、かなりの大がかりな大工仕事を、業者に依頼するのではなく、何か月、あるいは何年もかけて、自分の手でやろうとする人も少なくない。

まず採寸の業者に来てもらってから、覚悟を決めて出かけたHome Depotのデザイン担当スタッフは、背が低く丸っこい体型の女性だった。広告でお馴染みのオレンジ色のエプロンにつけられた胸のバッジには、Saritaという名前が書かれている。顔立ちや髪や肌の色からして、おそらくフィリピン系だろう。風貌がbutchyなうえに、愛想笑いもしない。レズビアンのような気がするが、たしかではない。

最初は、よくこれで客商売が務まるものだと呆れるくらいぶっきらぼうだったが、慣れてくるとけっこう人懐っこく、冗談などを交えながら話すようになった。寸法に合わせてひととおりのレイアウトを決め、キャビネットの素材と色を決め、カウンターの素材と角の処理を決め、ひと口に棚や引き出しといってもお金のかけようによってピンからキリまでなのだということを学び、流し台の種類について学び、蛇口を選び……そうやって私が選んだアイテムを、Sarita がひとつひとつコンピューターに入力していく。あっというまに数時間がたっていた。

「心の準備は？」

最初の印象とは別人のように打ちとけて、冗談めかした口調で言う Sarita の背後の大きなプリンターから、ジーッという音とともに、数枚の紙がはき出される。Sarita がクルッと椅子を回して、その明細書をテーブルごしに差し出した。合計金額を見て、私は言葉を失った。材料費と工事その他の人件費を合わせて、二万二千ドルを超えている。

これでも、床のタイルや天井の照明は我慢していじらないことにし、買い替えが必要なレンジと食洗機はごくベーシックな機種にし、冷蔵庫はまだじゅうぶん使えるのでそのままにすることにして、細かなところでもけっして贅沢ではないデザインにしたのだった。

日本の台所とくらべればゆとりたっぷりの面積だが、アメリカの感覚ですれば、きわめてこじんまりしたキッチンである。頑張って一万五千ドルも出せば、相当よいキッチンになるだろうと思っていた。

私がショックで絶句するのを見て、Saritaは気の毒に思ったのか、キャビネットやカウンターの素材をもっと安いものにすれば多少は値段を抑えられるが、流し台やレンジの位置を変えるには配管や電気工事が必要なので、どうしても費用がかかってしまうのだと説明してくれた。いったんリフォームしたら数十年はそのままでいいのだから、少しの節約のために妥協するよりは、思い切って自分が好きなキッチンにしたほうがきっといいですよ、綺麗なキッチンができあがったら、ぜったい気持ちがいいですよ――呆然としている私に、Saritaがそう諭してくれた。私は依然として言葉の出ないまま、頷いてクレジットカードを差し出した。

しかし、そこからキッチン完成までの道のりは、気が遠くなるほど長かった。

引き出しの取っ手や水道の蛇口などは、Home Depotの棚に目眩がするほどたくさんの種類が並んでいるが、キャビネットやカウンターはハワイに在庫があるわけではなく、すべてアメリカ本土から船で運ばれてくるので、ホノルル港に着くまでだけでも数か月はかかる。

二か月ほどしてから、カウンター業者から電話があった。私が注文した色のものは在庫が切れているので、これから発注してできあがるまでに最低三週間、それが船でハワイに届くまでさらに二か月はかかるという。耳を疑うと同時に、涙が出そうになった。ああでもないこうでもないと悩みに悩んで厳選した素材と色だったのだ。在庫の有無は、注文時にわかるはずではないだろうか。その時点ですぐ連絡をしてくれれば、待つ覚悟をするなり、別のものに変更するなりできたのに、なぜこの二か月を無駄にしたのか、理解ができない。

しかしアメリカでは、そしてハワイでは、こんなことは日常茶飯事である。泣いても怒っても、在庫がないものは届かない。大きな溜息をついて、同じ素材で在庫がある色のリストを送ってもらい、Home Depot に戻り、見本のチップを見て、そのうちのひとつを選んだ。

しばらくしてやっと、すべての部品が港に届いたとの連絡があった。配達業者と施工業者は別である。スケジュールが相互に調整されているわけではない。部品が運ばれてきたら、工事が始まるまで、それを家のどこかに置いておかなければならない。キャビネットは上下合わせるとかなりかさばるので、部屋ひとつぶんくらいのスペースを用意しておくようにと言われ、慌てて書斎を整理した。

配達の日に大きなトラックでやってきたのは、小柄なおじさんと、縦にも横にも大柄の兄ちゃんのふたりだった。おじさんはフィリピン系、兄ちゃんはハワイアンかサモアンだろう。ふたりとも、ジーンズの上に、業者のユニフォームらしい、やや光沢の入ったグレーのポロシャツを着ている。おじさんが監督係らしく、兄ちゃんにあれこれ指示を出しながら作業を始めた。

人間のひとりかふたりも入っているのではないかと思われるほど大きなものから、これはいったいどこに使うなんの部品だろうと首を傾げるほど小さなものまで、何十もの段ボール箱を、ふたりは手際よくトラックからエレベーターに積み込み、そしてさらに私の部屋に運んで、空いたスペースに積んでいった。書斎はみるみるうちに天井まで段ボールでいっぱいになった。

一時間ほどして作業が一段落すると、注文したものがすべて揃っているか確認してくれと、おじさんに納品書を手渡された。ずらりとリストされた品番号と目の前に堆く並ぶ箱に貼られたシールを、ひとつひとつ照らし合わせていくものの、番号順に箱が並んでいるわけではない。「あ〜、めんどくさ〜」という日本語が頭のなかでなんどもこだまする。

Uh, excuse me.

玄関近くからおじさんの声がした。書類に私の名前は書いてあるし、駐車場に着いたと電話をかけてきたときには Is this Mari? と確認していたから、私の名前は知っているはずだったが、もう忘れてしまったのか、あるいは私の名前など覚える必要ないと思ったのか、または名前で呼ぶのは不適切だと思ったのか、Mari とは口にしなかった。

配達品に板がまだ一枚残っているのだが、縦にも横にも大き過ぎて、エレベーターに入らない。階段でものを運ぶのは三階までと契約で決まっているので、地下の出入り口から五階の私の部屋まで運ぶことはできない。おじさんはそう言った。

エレベーターに入らないものを、私が自分で運ぶことはとうぜんできない。夕方になれば、数か月前から同居していた David が帰ってくるが、プロの配達業者が運べないものを David が運べるとも思えない。私はしばらく無言で考えた。

「別料金を払いますので、とくべつに運んでもらえないでしょうか」

できるだけていねいに、そして頼りなげな口調で訊いてみた。

Nah, nah. No can do. We gotta go fo' anaduh delivery befo' da shift is ovah.

おじさんが無表情に言うその背後で、兄ちゃんが申し訳なさそうな顔をして無言で立っている。

途方にくれるが、どうしようもない。わかりました、あとでどうにかするので、地下に置いておいてください。——そう言って、私は何枚もの受領書にサインをした。

おじさんはその書類を手に、部屋を出てエレベーターに向かっていった。そのとき、通路で搬入用の台車や布を片付けていた兄ちゃんが、私のほうを向いて小声で言った。

「大丈夫、あとで僕が運びにくるから」

私は、ビックリすると同時に慌てた。

「Oh no, no, そんなことしてくれなくていいわよ、あとでなんとかするから、心配しないで」

しかし兄ちゃんは、ごくあたりまえのことを言っているような調子で続けた。

「It's okay. この次の配達は small job だからすぐ済むし、今日のシフトはそれでおしまいだから、そのあとで戻ってきて、手伝ってあげる」

「いやいや、いいのよ、そんなことあなたの仕事じゃないから、でもありがとう」

「仕事じゃないのはわかってるけど、やってあげる」

ノー、ノー、イエス、イエス、というやりとりを続けているうちに、通路に残っていた台車を取りにおじさんが戻ってきて、私たちはとたんに口をつぐんだ。

あたりの片付けが済むと、私は問題の板とやらを見に、ふたりと一緒にエレベーターで地下に降りた。見るとたしかに、片側だけが白く塗られた薄く大きな板が、段ボールにすら入らず剥き出しで、エレベーター脇の壁に立てかけてある。これがキッチンのどこに使われるのか、皆目見当がつかないが、とにかくエレベーターに入らないのは一目瞭然だった。

巨大な板を前に呆然としている私を尻目に、おじさんは出入口の鉄のドアを開けて、さっさと出ていった。そのあとに続きながら、兄ちゃんは私のほうを振り向き、少年のような笑顔で、声を出さずに口の形でSee you later!と言って、駐車場のトラックへと消えて行った。See you later!と同時に片目をウインクしたような気もしたが、いくらなんでもそんなわざとらしい仕草をこの純朴そうな兄ちゃんがするだろうか。私の目と頭が勝手に加えた脚色だったのだろうか。

いずれにせよ、まさか兄ちゃんがほんとうに戻ってくるとは思わなかったし、戻ってこられても、それはそれで困る。かといって、この板をどうすべきか、解決策は思いつかない。David ひとりではどうにもならないような気がするが、すぐ近くに住んでいる Scott や Steve も動員して知恵と腕力を合わせれば、どうにかなるだろうか。マンションの住人がしじゅう行き来するこの出入り口に、こんな大きなものを置きっぱなしにしておくこともできないから、早くなにか手を打たなければいけないが、部屋に戻って、書斎を天井まで埋めつくした段ボール箱を前にすると、頭がぼうっとしてなにも考えられない。私はベッドに倒れ込んで目を閉じた。

どのくらい時間がたっただろうか。ピンポンというドアの呼び鈴で目が覚めた。下の入り口からインターホンの呼び出しはなかったのに、だれがどうやって建物に入ってきたのだろう。David は鍵を持っているから、呼び鈴を鳴らすはずがない。またお隣のおばさんが、お菓子かフルーツのお裾分けを持ってきてくれたのだろうか。

ぼーっとした顔つきのままドアを開けると、さっきの兄ちゃんが立っていた。

「ハーイ!」

監督のおじさんと一緒のときには見せなかった、満面の笑顔を浮かべている。

「Oh my god! ほんとに来てくれたの？」

「もちろんだよ、僕は嘘はつかない」

古いウェスタン映画のインディアンか、ＳＦに出てくるエイリアンのような言葉づかいで言う。

「もう仕事は終わったの？」

「うん、ちょうど、最後のシフトが終わったところ」

なんだか困ったことになった。とはいえ、わざわざ来てくれたひとを、いいから帰ってくれと追い返すこともできないような気がする。乗りかかった舟と思うことにするか。私はI can't believe you really came, that's so nice of you. などと言いながら、じゃあどうやってあの板を運ぶか考えようと、さっきと同じように、一緒にエレベーターで地下まで降りていった。

エレベーターのなかで兄ちゃんは、おじさんと一緒のときには見せなかった親しみをこめて言った。

「僕の名前はVai。君は？」

「マリ」

「マリ。いい名前だね」

地下に着いた私たちは、壁に立てかけられたままの大きな板を前に、並んで立った。

「階段はどこ？」

非常階段は、エレベーター乗り場からいちど外に出て、駐車場沿いの通路を歩き、鉄のドアを開けたところにある。Vaiが大きく腕を開いて板をひょいと持ち上げるのを見て、私は小走りでドアを開けた。そして、Are you alright? と、なんの役にも立たない言葉をかけながらVaiの数歩前を歩き、こんどは非常階段入口のドアを開けた。灰色のコンクリートの壁に真っ白な蛍光灯の光が灯っただけの、どことなく不気味な非常階段を使うのは、この建物に引っ越してきてからはじめてだった。

板は、大きくはあるが薄いので、それほど重くはなさそうだった。平坦な道を短い距離運ぶのであれば、Vaiに手伝ってもらうのにもそれほど罪悪感を覚えなかったかもしれない。ただし、目の前に立ちはだかるのは、マンションの狭い非常階段だった。フロア半分ごとに踊り場があり、そこをどうやって回転するかが難問だった。そもそも三次元思考力が著しく欠如している私は、さっさと考えるのをあきらめて、毎日仕事で大きな荷物を運んでいるVaiに任せることにした。

そっちの角を持って、僕が踊り場に上がるのに合わせて板をこうやって斜めにしてみて――しばらく考えてからそう言うVaiの指示どおりにしてみたが、いろんな角度でなんど試しても、曲がり切らない。地下から半フロアも上がらないまま、永遠と思える時間が過ぎていった。もういいわよ、とりあえずこの階段の脇に立てかけておいて、あとでなんとかするから、あなたはもう帰っていいわよと言ってみたが、Vaiは、いや大丈夫、どうにかなる、と言って、板と階段を交互に睨んでいる。

しばらくしてVaiは、板を垂直のまま階段と階段の間の隙間に立てて、ひとりが下から押し上げ、もうひとりが上から引き上げれば、回転の必要がないという案を思いついた。よし、じゃあ、と私がまず半フロア階段を上がり、板を引き上げた。想像していたより重い。幅が大き過ぎて、左右両側を握ることができず、上辺の真ん中と片側の上の部分に手を置いてバランスの悪い状態で支えているので、四、五秒ほどで板は手からずり落ちそうになる。Vaiが急いで私の後ろを駆け上がり、上の踊り場に行くと、私は板を押し上げ、Vaiがそれを引き上げる。そしてこんどは私がVaiの大きな体の後ろを通って次のフロアに上がり、Vaiが支えている板を引き上げる。

地下から五階まで上がるためには、これを十二回繰り返さなければならない。手を滑らせてせっかく運び上げた板を落としてはたいへんと、必死に握っているだけで、指や手の平が痛くなってくる。汗でますます、手が滑りそうになる。窓もなく、コンクリート打ちっぱなしの非常階段はひんやりとしていたが、ふたりともじきに身体じゅう汗だくになった。

あとひとりでも助っ人がいれば、もう少し楽だっただろうが、ふたりでは、ひとりが板を支えているあいだに急いでもうひとりが階段を昇らねばならず、息をつくまもなかった。二階を過ぎると、ふたりとも疲れてかなりペースダウンしたが、やがて、なんとか五階までたどり着いた。非常階段から部屋までの平坦な廊下は、天国のように思われた。

Oh-kaaay!!! Here we are!!!

私がドアを開けると、Vai は板を持ったまま、ちゃんと靴を脱いでなかに入り、勝手のわかった様子で書斎まで進んで、段ボールの山に板を立てかけた。こんな苦労をして持ち運んだこの大きな板が、このこじんまりとしたキッチンのどこかに取りつけられるのか、依然として謎だったが、もうそんなことはどうでもよかった。

「ちょっと座ってもいい?」シャツが汗でびしょ濡れになった Vai が言う。顔からも汗が吹き出している。

「もちろん」

　Vai は網戸を開けて lanai に出た。なんとなく私も一緒に出て、Vai の隣に立って下の駐車場を見下ろした。さっきは大きなトラックが停まっていたプール脇の搬送車用スペースは、空になっている。Vai は仕事を終えて、自分の車でここに戻ってきて、来客用駐車スペースに停めたのだろう。なにも言わず、Vai は振り向いて腰を下ろした。もう少しお金が貯まってまともな家具を買えるときまでのつなぎにと、アメリカ本土に引っ越していったミュージシャンの友達から譲り受けた、安いプラスチックの屋外用テーブルと椅子だった。

「ごめんなさいね。なにか飲み物を出したいけど、なんにもないの。お水でいい？」

「Yes, please」Vai は丁寧に答えた。

　日本だったらこういうときには、麦茶かなにかをお盆に乗せて、お茶菓子と一緒に出すのだろうが、ここはホノルルだ。まして、配達業者の兄ちゃんとこんな状況になるとは、想像していなかった。私は冷水を入れた大きなグラスを手に持って lanai に出て、Vai の向かいに座った。時刻はもう夕方だったが、夏の太陽はまだかなり高い位置にある。心地良いそよ風が吹いてはいるものの、汗が引いて体温が下がるまでには、まだしばらくかかりそうだ。まわりに建ち並ぶ、ここと同じような変哲もないマンション群の隙間からは、少しだけ海が見える。でも、海に近いエリアで高層ビルの建設が進んでいるので、この lanai からは海がまったく見えなくなるのも、時間の問題かもしれない。遠くに黄色いクレーンが見える。

「旦那さんはどこにいるの？」

Vai が唐突にたずねた。

私は面喰らった。そんなパーソナルなことを配達業者の兄ちゃんに訊かれるのにもドキッとするが、Vai が私に夫がいることを前提としているらしいのにも少し驚いた。

「旦那さんはいないわよ」

「いないの？」

Vai が半信半疑の口調で確認するのと同時に、その顔に満面の笑みが広がったが、その笑みの意味ははかりかねた。

「いないのよ」と繰り返すと、

「いないの？」と Vai も繰り返した。

夫のいない女性がひとりでこうやってマンション暮らしをしているのが、Vai には想像できないのだろうか。しかし、配達の仕事をしていれば、いろんなひとの暮らしぶりをふだんから垣間見ているだろうし、女性のひとり暮らしなど、べつだん珍しくもないはずだ。それでもVaiは、私の答えの真偽のほどを確認するかのように、繰り返したずねた。

はたしてこの会話はどこに向かうのだろう、とぼんやり思っていると、次の質問がVaiの口から出た。

「きみみたいな素敵な女性に、なんで旦那さんがいないの?」

ああ、まずいことになってきた。

きちんとお礼をしたうえで、なんとか早めに話を切り上げて、帰ってもらわなければ。素敵な女性と言われて喜んでいる場合ではない。素敵な女性だったら旦那さんがいるのがあたりまえだという世界観をもった男性と、こちらも楽しめる会話が続くとは思えない。かといって、彼が来てくれなかったら、あの板は地下のホールに立てかけられたまま、管理人に文句を言われるまで何日間も放置してあっただろうと思うと、そうぞんざいに扱うこともできない。うーむ、どうしよう。

会話はさらにまずい方向に進んでいった。

「きみはJapanese? Chinese?」

「Japanese」

「そうか。僕はJapaneseの女性が好きだ。Japaneseも、Chineseも、Koreanも」

嗚呼。ここでオリエンタリズムの性的力学を論じてもしかたがない。

私のlanaiに座って水を飲んでいるこの善良で親切な兄ちゃんに、どうやったら穏便にこのマンションから出ていってもらうことができるだろうか。

しばらく、黙ったまま水のグラスを口にした。不自然な笑顔を浮かべているのが、自分でもわかった。

「旦那さんはいないけど、ボーイフレンドはいるのよ」と言ってみた。

Vaiは、はっとした顔になって、また私の言葉を繰り返した。

「ボーイフレンドがいるの？」

「そう、もう少ししたら帰ってくる」

嘘ではなくこの台詞が言えることを、私は心底ありがたく思った。そして、ほんとうにこの瞬間にでもドアを開けて入ってきてくれたらキスとハグで迎えるところだが、Davidが帰ってくるまでには、残念ながらまだ一時間ほどある。

「ボーイフレンドは、なにをしているひと？」

Vaiは遠慮なく、根掘り葉掘り訊いてくる。

「大学で研究をしているの」

ハーバードの大学院生なのだが、ハワイで博士論文のための研究をしているのだなどと説明しても、この会話で意味をなすとは思えず、はしょった返事にしておいた。

「大学？」

「そう。私も大学で仕事をしているのよ」

「大学で仕事をしているの？」

「そうよ」

「なんの仕事？」

私にとっては、「大学で仕事をしている」といえば研究や教育のことだったが、Vaiは、事務職員かなにかかと思ったのかもしれない。じっさいに大学でも、私のような姿の人間は事務職員と思われることが多いから、そう見当違いな質問ではなかった。

アメリカ研究などといっても意味をなさないだろうと思い、ただ「教えてるのよ」と言った。さいわいこれも、嘘ではない。

「先生なの？」

Vaiは、驚いた顔で言った。彼が使った単語は、professorではなくteacherだった。

「そうよ」と言うと、それまで立て続けに根掘り葉掘り質問をしてきたVaiは、とたんに肩を落として静かになった。しょぼんとした顔をしている。

なにがなんだかわからない。

どうしたの、と訊いてみた。するとVaiは、グラスの水をゴクリとひと口飲んでから、ボスの後を歩きながら振り返って、あとで戻ってくるからと合図をしたときと同じ、少年のような顔つきになって、ぽつりと言った。

「きみは、先生なのか。机に座って本を読んだり、ひとの前で話をしたりするのか」

ひとの前で話をするのはともかく、私が本を読む人間であることは、さっきから出入りしているこの部屋を見まわせば、すぐわかりそうなものだ。でも、海外旅行先で知らない言語の看板があちこちにあっても、意味がわからなければなんの記憶にも残らないのと同じように、Vaiにとって、家のあちこちに並んだ本というのは、視界に入っていても脳裏には残っていないのかもしれない。

私は返答に困って、Vaiの顔を見るでもなく見ないでもなく、黙ったまま再びグラスの水を口に運んだ。階下のプールから、子供がキャーという歓声とともにバシャーンと水に飛び込む音がした。こういう音はやたらとよく響く。

Vaiは言った。

「僕はこうやって、ものを運ぶ仕事をしている。きみは、僕のことなんて、見下しているんだろう」

私は仰天した。ふつう、「僕のことなんて、見下しているんだろう」という台詞を男性が口にするのは、自分を侮辱した相手に怒りをぶつけるときだろう。しかしVaiは怒るどころか、悲しげな口調で、泣き出しそうですらある。

「そんなことないわよ。見下してなんかいないわよ」

私は慌てて言った。慌てて否定することじたいが、ほんとうは見下していたことの証なのかもしれないが、その瞬間にそんなことを考える余裕はなかった。

「だって、きみは頭を使うひとなのに、僕はこうやって汗だらけになって、身体を使う、汚い仕事をしてる」

Vaiはさらにシュンとした声になっている。

「汚くなんかないわよ。それに、手や身体を使う仕事って、ひとの役に立って、立派じゃない。私なんか、何百冊本を読んだって、ものすごく簡単なことだって自分の手ではできないことばっかりの、役立たずだもの。私の友達だって、頭を使う仕事をしているひとが多いけど、その友達を何人も連れてきたって、あんな大きな板を階段で運ぶなんて、なかなかできなかったに決まってる。それをひとりでやってくれて、すごく立派で、ほんとうにありがたく思ってる」

それは真実だった。

Vaiは、大事なものを失くして泣きじゃくっていた子供が、失くしたと思っていたものが見つかったときのような顔になって言った。

「ほんと?」

風貌からすると二十代半ばくらいに見えるが、成人男性がこんなに子供のようにコロコロと表情を変えるものなのかと、感心するほどの無防備さだった。

「ほんとよ。ありがとう」

Vaiの顔に、さっきの笑みが戻った。

しばらくふたりとも黙って水を飲みながら、汗が引くのを待っていた。聞こえるのは、下のプールの音と、少し先にある高速道路の音だけだった。

そしてまた、Vaiはぽつりぽつりと話し出した。

先にハワイに移住してきた親族を頼って、半年前にサモアからやってきたこと。お姉さんの家族と一緒にWai'anaeに住んでいること。三歳の姪がいて、とても可愛がっていること。なかなか職が見つからなかったが、二か月前から今の配達の仕事をするようになったこと。

自分の指導生のなかにもサモア出身の大学院生はいるし、サモア移民について少しの知識はあったが、仕事と関係ないところで、こうしてサモア人の身の上話を聞くのははじめてだった。ちゃんと仕事につけたのはよかったが、こんなふうに、業務時間外に配達先に出かけていって個人的な会話をしていることが会社にバレたら、おそらくクビになるだろう。

あのフィリピン系の監督は、気づかないふりをしてはいたが、自分の背後でサモアの田舎からやってきた若造が配達先の女性に話しかけているのに、勘づいてはいただろう。Vaiがなにかしらの注意か処分を受けるのは、時間の問題かもしれない。移民してきてまだ半年の彼が、痛い目に遭いながらアメリカ社会のルールを身につけていくには、どのくらいの時間がかかるのだろうか。

しばらく話し続けてから、Vaiはまた唐突に言った。

「I like you very much.」

さっきのまずい会話から、なんとか方向を切り替えたと思ったのに、また急に困った発言が出てきた。David はいつ帰ってきてくれるだろう。

「どうもありがとう」

「きみがやさしいひとだっていうのは、今日、最初に顔を見たときからわかった。ほかの配達先のひとたちは、僕となんて目を合わそうともしないし、会話もしない。だけどきみは、最初からやさしく挨拶してくれて、話をしてくれた。きみはとても素晴らしいひとだって、僕にはわかる」

こちらが泣きたくなった。

「僕の友達になってくれる?」

友達になる――それは Vai にとってなにを意味するのだろうか。気軽にイエスと言って困ったことになるのはもちろん避けたかったが、いやだと言える状況でもない。

私とのあいだにある階層の溝を、Vai はいとも瞬時に理解していた。それは、私が生まれてこのかた経験したことのないような、そしておそらくこれから先も経験せずに済むであろう類の理解だった。それと同時に Vai は、私が絶望するほど、その溝の意味を理解していなかった。

ありとあらゆることが、ひたすら物哀しく感じられた。

「いいわよ、友達ね」

「ほんと？」

「うん」

そう答えながら、困ったことにならなければいいと、天にも祈る気持ちだった。

会話と呼べるような会話もないまま、私たちはプラスチックの椅子に座って水を飲んだ。しばらくしてやっと、じゃあそろそろ帰るとVaiが言い出した。私は安堵をなるべく顔に出さないように努めた。

「ちょっと待ってて」

私は段ボールでいっぱいの書斎に入り、財布を開いてみた。いくら「友達」になったと言ったって、見も知らぬ配達業者に契約外であんな力仕事をしてもらっておいて、なんのお礼もしないわけにはいかないだろう。しかし、長年のアメリカ暮らしで、現金をあまり使わない生活に慣れてしまっていて、財布には十ドルちょっとしか入っていない。

「ねえ、Vai、銀行口座ある？」

働いて給料をもらっているとはいえ、仕事の性質上、現金払いという可能性もなくはない。移民してきてまだ半年で、親族と一緒に住んでいるのだったら、銀行口座をもっていなくてもおかしくはない。

「あるけど、どうして?」というVaiの返事を聞いて、私は机の引き出しから小切手冊子を出し、支払先をcashとして五十ドルのチェックを切った。

「これ、助けてもらったお礼」と言って手渡すと、Vaiは目を丸くした。

「なあに、これ?」

「いま、手元に現金がないの。手間になっちゃって申し訳ないけど、銀行に持っていけばお金に替えてもらえるから」

「Oh, no! 僕はそんなつもりで手伝ったんじゃない」真剣な表情で言っている。

「うん、それはわかってる。でも、私の気持ちだから、受け取ってちょうだい」

「いや、そんなのいらない」

「なんのお礼もしないのは、私の気持ちが許さないから」

そんなやりとりがしばらく続いたあと、私はふと思いついて言った。

「姪っ子さんに、なにかオモチャでも買ってあげて」

するとやっと、Vaiはありがとうと言って、小切手を半分に折り、ジーンズのポケットにしまった。そしていよいよ部屋を出ようというとき、私の顔をまっすぐ見て言った。

「ほんとに友達になってくれるんだったら、電話番号を教えてくれる?」

子犬のような目つきをしている。

いよいよ途方にくれた。いやだとも言えない。かといって、自宅の電話番号を教えるのはさすがにためらわれる。しかし、この純朴な青年に、嘘の電話番号を教える気持ちにもならない。

とっさに思いついて、大学のオフィスの電話番号を教えることにした。オフィスの電話には着信表示が出るから、出たくない電話には出なければいい。Vaiはポケットからマジックを取り出して、私が言う番号を手の甲に書いた。

まもなく様変わりするはずのキッチンの流しにグラスを置いて、Vaiが玄関を出ていったのは、夏の空が紫色に染まりかける頃だった。

心身ともにぐったりして、ソファーでうつらうつらしていると、Davidが帰ってきた。

ねえねえ、聞いてよ、もう一時間早く帰ってきてくれてたら、あんな経験することなかったんだけど、こんなことがあったのよ〜と、興奮と困惑を交えて話すと、Davidは、「へえ、サモア人の配達屋に求愛されたのか、なかなかやるね」と笑った。Vaiとのやりとりの最中に身体じゅうをかけめぐった、やりきれない感情のあれこれを、筋道立てて説明する気力はなく、ホントにもう、どうしようかと思ったよと、一緒に笑っておしまいにした。

翌朝、オフィスに行くと、留守番電話のランプが点灯している。メッセージボタンを押すと、You have one message. Recorded at Six Fifty-two AM. To play the message, press PLAY. という無機質な自動音声が流れ、私は再生ボタンを押した。

Hi, this is Vai. I want to see you again.

入っていたのはそれだけだった。

配達の仕事は朝早くから始まるだろうから、シフト開始前にかけたのだろう。自宅の電話番号を教えなくてほんとうによかった。自分の電話番号をメッセージに入れていないところをみると、携帯電話はもちろん、家でも自分専用の電話はないのだろう。もちろん、彼の電話番号が入っていたとしても、返事をするつもりはないが、かけようと思ってもかけられないという状況は、私にとってはありがたかった。さらにありがたいことに、私が昼間オフィスにいるあいだに、さらなる電話はなかった。Vaiも仕事中に電話はかけられないのだろう。

次の日も、またその次の日も、朝オフィスに行くと、Hi, this is Vai. I want to be your friend. という、ちょっと寂しげな声のメッセージが入っていた。

これが私のオフィスの番号であるということも、おそらくVaiにはわかっていないだろうし、私のオフィスというものがどんな空間で、そこで私が毎日なにをしているかということは、さらに想像ができないだろう。

一週間ほどすると、留守番電話にもうVaiからのメッセージは入らなくなった。

すべての部品が揃ってからも、キッチンが完成するまでには、気が遠くなるほどの時間がかかった。それでも、Saritaの予言どおり、晴れて新しいキッチンが完成してしまえば、出費のこともそれまでのストレスも綺麗さっぱり忘れて、幸せな気持ちになった。Vaiのこともじきに忘れてしまった。料理好きなDavidが張りきって毎日料理をしてくれて、食事をしながらふたりで飲んだワインのボトルの列が、以前よりもいっそう増えていった。

＊

Vaiのことを思い出したのは、それから十年以上たって、こんどはバスルームのリフォームに取りかかったときだった。Davidとはとうの昔に別れ、彼はボストンで中国人の女性と結婚している。いっぽう私のパートナーは、ロスアンジェルスにいる。マンション購入時、バスルームはすでにだいぶ古めかしいデザインだったが、機能的には不自由がなかったのと、キッチンのリフォームであまりに財力も気力も消耗したので、とうぶんはあんなことはしたくないと、ずっと後まわしにしていた。

ついにやろうという気になったのは、ハワイでもコロナウイルスが広まりはじめた頃、トイレットペーパー不足の緊急事態を経験したからだった。ただでも私はトイレが近いのに、一日じゅう家にこもっていれば、トイレットペーパーの消費量はさらに増える。なのに、どの店に行ってもトイレットペーパーの棚はすっからかんだった。

アメリカではウォシュレットはまだ珍しい。ハワイでも、一部の日本食レストランや日本人の住宅でたまに遭遇することがあるくらいだ。なければないでまあいいと思っていたが、導入するとすれば、まさに今がそのときではないだろうか。すでにあるトイレに取り外し可能なビデをつけるにしても、新しく電気の配線をしなければいけない。だったらいっそのことこの機会に、バスルーム全体をリフォームしてしまおう。

ここ数年は学科長をやらされて特別手当が支給されているので、ふだんよりは財布に余裕がある。毎日大学に行かなければいけない時期にはスケジュール調整が面倒だが、このぶんではとうぶん毎日家に籠もることになりそうだし、キッチンのリフォームのときは、水道の配管やら電気の配線やらがあれこれあったが、バスルームはパーツを新しくするだけで移動はないから、そこまで費用も手間もかからないだろう。

そんな楽観的観測はみごとに外れた。

アメリカ本土と同様、ハワイでもパンデミックとともに不動産ブームが起こり、施工業者はどこもずっと先まで予約が埋まっていた。友人の紹介でやっと業者の契約をとりつけたものの、物価の急騰で、見積もりは予算の三倍だった。ふたつあるバスルームの両方をリフォームしようと思っていたのを、しかたなくひとつにあきらめた。物流の停滞で、本土から材料が運ばれてくるのに、ふだんにも増して日数がかかった。ついにやっと作業が始まったと思うと、上の階の排水管に水漏れがあるのが発覚し、せっかく整えた壁や天井をふたたび取り外して、さらになぜかリビングルームやもうひとつのバスルームの壁にまで大きな穴を開けてパイプを取り替え——というのはまだ序の口だった。

全作業をコーディネートするのは、ハワイ大学を卒業した娘の近くに住もうと数年前にオレゴンから引っ越してきたという白人のおじさん。彼のもとで大工作業をするのは、親がボブ・ディランのファンなので Dylan という名前をつけられたという、性格の明るいハワイアンの兄ちゃん。

そのほか、いかにもローカルの日系人という風貌の若い配水管工、無愛想だがテキパキしたチャイニーズの電気配線工、婚約者とともに二十年前にスイスから移住してきたというタイル業者、メキシカンのおじさんのペイント業者などなど、のべ二十人以上の男性たちが、二か月以上にわたって入れ替わり立ち替わり、私のマンションに出入りした。日本ではバスルームのリフォームはせいぜい数日で済むと聞くのに、なぜこんなに大がかりなことになるのかわからない。自分は隣の部屋でゆっくり仕事をしていればいいなどと呑気に思っていたのは、キッチンのときの苦労を記憶から抹消していたからでしかなかった。

ようやっと、二か月も前に注文してあったシンク台のカウンターを取りつける段階にたどりついた。まず業者が採寸にやってくる。そしてその寸法に合わせて切ったり穴を開けたりしたQuartzの板を、三日後に取りつけにやってくる。やれやれだ。

取りつけ作業には、ふたりの男性がやってきた。ひとりは、採寸にきたMarkという三十代後半くらいの白人の男のひとで、もうひとりは、色黒で小柄なおじさんだった。おじさんのほうがあきらかにかなり年配だが、Markのほうが責任者らしく、作業を始めるときに、Mari, this is Keola. と私に紹介してくれた。

Hi, Keola. I'm Mari. Thanks for coming!

こうやって、初対面で紹介された相手にすぐ名前で呼びかけることで、相手にきちんと注意を払っているのを示すという作法が、アメリカ生活数十年にしてなんとか身についていた。ふだんであれば握手の手を差し伸べるところだが、コロナゆえ、挨拶は Hi に合わせて手を挙げるにとどめる。

Hi, Mari! Howzit?

向こうもちゃんと、私の名前を聞きとったようだ。いかにも気さくなローカルのおじさん風なノリだ。Keola というからにはハワイアンなのだろう。

マンションの部屋のあちこちに、黄色い正方形の付箋が貼ってあった。コロナで増えたひとりの時間を少しでも有効活用しようと、Duolingo アプリでハワイ語の勉強を始めたのだった。ハワイで暮らすようになってもう二十年以上になる。そのあいだなんども、少しはハワイ語を勉強しようと思いつつ、継続的にクラスに通う余裕を見出せないままきてしまった。それでも数年前、マウナケア山に予定されている巨大な望遠鏡の建設を阻止するため、ハワイアンの人々が山の麓で抗議活動を続けているのを見学しにハワイ島に行っていらい、やはりこんなことではいけないという思いを強くしていた。

このアプリなら、自分の好きなときに好きなペースでできるし、ひとりの時間が多いいまこそがチャンスと思って始めたのだ。とはいえ、毎日数十分アプリをいじっているだけでは、五十代の脳には単語がなかなか定着しない。そこで、家のあちこちに「pākaukau」だの「pa'a kāma'a」だの「papahele」だのと書いた黄色い付箋をペタペタと貼っていたのだ。このくらいの単語なら調べればいつでも覚えられたのに、なぜいままで学ぼうとしなかったのか。土地の歴史や文化を尊重するといつも理屈では唱えているくせに、この程度のこともしてこなかったのを反省するも、Better late than never と自分に言い聞かせる。

玄関まわりと、なかに入ってすぐのキッチンだけでも、ドアや冷蔵庫や壁に付箋はいくつも貼ってあった。それが Mark と Keola の目には入っているはずだが、ふたりともべつになにも言わなかった。そういえば、キッチンのリフォームをしたとき、電気の配線をしにきたローカルのアジア系の兄ちゃんが、私の棚に並んでいる日本語の料理本を見て、「僕のワイフも日本人だよ。食材はいつもどこで買ってる？　ドンキホーテ？」と話しかけてきたのを思い出した。

幅五フィート、奥行き二フィートほどもある Quartz の板は相当重いらしく、トラックから台車に乗せてきたものをエレベーターから下ろし、通路にいったん置いてから持ちあげて部屋のなかに運びこむだけでも、マスクをしたふたりの顔が赤くなっているのがわかる。そして、ベッドルームのドアを通り、すぐにまた直角に曲がって、けっして大きくはないバスルームに入る。

One, two, three! という Mark のかけ声に合わせて、ふたりはその板をキャビネットの上に持ち上げる。しかし、左右の壁から壁いっぱいになるその板は、すぐには収まるべき位置に収まらない。ふたりはまず、板を少し斜めにして、壁のあいだに嵌めこんだ。右側が十センチほども浮かんでいる。Mark が手で合図をするのを見て、Keola は私が立っているベッドルームに出てきた。Keola が汗を拭くあいだ、Mark は板を上からググッと押しにかかった。板はなかなか動かない。もしかして寸法が間違っていたのではないか。そういうことはこちらではよくあるのでもう驚かないが、驚かなくても、困るものは困る。私はなるべく平静を装い、Keola の横に立って様子を観察した。

数分して、なんとかカウンターは収まるべきところに収まった。

安心で血圧が十ほど下がった気持ちがした。ふたりは通路に置いてあった同じ素材の sidesplash を運びこみ、それぞれの位置にセットした。Mark がそれにノリのようなものをつけて、やたらと大きな音のする機械でそれを固定する。そして、シンクとの接着部に防水剤らしきものをつけ、長方形の部分に何度か指をまわして、漏れがないかを確認する。慣れた手つきの、段取りよい作業ぶりだった。

そうやってMarkが仕事を仕上げているあいだ、もう自分にすることはないと思ったのか、Keolaは横で突っ立っている私のほうを向いて話しはじめた。

このマンションにいつから住んでいるのかとか、家族は何人なのかとか、質問がつぎつぎと飛んでくる。日本だったらリフォーム業者が顧客にする質問ではないが、こちらではごくふつうだ。声はデカいが、バリバリのPidginなので聞き取りにくい。抑揚の感じと文脈でだいたいのところを推測して、なんとか会話を続けた。

そしてKeolaは言った。

My family lived heah, I use to run all ovah.

「ここ」というのは、このneighborhoodのことを指すのか、それとももっと具体的なスポットを指すのか、よくわからない。

Here means what? Did you live in this neighborhood?

Keolaはそれまでと同じ、気さくそうな声で続けた。

Dis my family from. My grandparents, parents, aunties, my cousins. We all live heah all da time, den dis condo go up so we all move. I use to run aroun' heah.

このマンションが建ったのは一九七一年のはずだ。どうやら、Keolaの家族はそれまでずっとこの場所に住んでいて、このマンションの建設が決まると退去しなくてはならなくなった、ということらしい。

You mean your family lived on this spot? And you had to move when this building was being built?

Yahと言って、Keolaはうなずいている。べつに怒っている様子も悲しんでいる様子もない。むかし自分が住んでいたところに今日こうして仕事で来ることになった偶然を、たんに面白がっているように見える。

私はどう反応したものやら当惑した。

And where did your family move to? Close to here?

Nah. We all move Kailua side. Da' wheah my uncle live.

And you still live in Kailua now?

Yah. We like it ova' da Windward side. Now my kids, grankids, all live ova' dea'. I got great-grandkids now, too.

長らくこの土地で暮らしてきたハワイアンの家族が、マンション建設のために退去させられ、島のまるで違う地域で暮らすことになった。そしてそのマンションにいま、日本人の大学教授の私がこうして住んでいて、Keolaはそのバスルームのリフォーム作業に来ている。これをセトラー・コロニアリズムと呼ばずしてなんと呼ぶのか。

なんだか頭がくらくらする。でも当のKeolaはまったくそんな様子はない。あいかわらず気さくに、私には七割がたしか聞き取れない話を、通じているかいないかなどお構いなしに続けている。

話の途中で、fifty-threeという言葉が出たような気がした。五十三歳ということだろうか。それじゃあ私と同い年ではないか。そんなことがあるだろうか。Keolaはてっきり六十代だろうと思っていた。カウンター業者の年齢をいちいち確認する必要もないのだが、話の流れ上、聞いておきたくなった。

Fifty-three? You're fifty-three years old?

Yah.

I'm fifty-three, too! We're the same age! Nineteen sixty-eight?

Waaaaa, fo' real? You fifty-three? You look twenty-three!

別のひとから言われたら嫌な気持ちがするような台詞でも、Keolaから出るこの言葉には、ハハハと素直に笑った。

でも待てよ。Keolaはさっき、great-grandkidsという単語を口にしていたのではなかったか？　同級生で孫がいるひとはひとりいるが、いくらなんでもひ孫はいない。はたして私たちは、ひ孫がいうる年齢だろうか？　それぞれ十八歳で子供を産んだとして……と、私は頭のなかで慌てて計算をはじめた。

Wait, did you say you have great-grandkids?

Yah, I got two. Twins born this year. うれしそうである。ひ孫がいっぺんにふたりも産まれたら、それはうれしいだろう。

Whoa! Must be lively and fun at home, with all the little ones!

Yah. So loud. Work is my quiet time. そう言ってKeolaは笑った。

How about you? How many you got?

ああ、また始まった。こんどは旦那ではなくて子供、さらには孫のことを訊かれるとは。

None. No husband, no kids, no grandkids. Just me.

Eh, fo' real? No kids?

かつてのVaiとは違って、理解できないというというよりは、面白がっているという声音だった。

Nope.

作業を終えたMarkが、ズボンで手を拭きながらOK, we're all set. と言って出てきた。Markに手渡された書類に私がサインしているあいだ、Keolaはさっさとドアを出て、通路口に置いてあった靴を履き、作業道具を片付けはじめた。玄関を出るとき、ごくふつうの調子でBye! と言っただけで、とくべつのやりとりはなにもなかった。

ふたりが出ていったあとで閉めたドアの内側には、覗き穴のすぐ下にpukaと書いた付箋が貼ってあった。pukaは「穴」という意味だとは知っていたが、ドアのことも指すと知ったのはDuolingoを始めてからだった。ドアを開けて出ていくときに、この付箋がKeolaの目にも入ったはずだ。でもなにも言わなかった。

こんなことをしてちょっとくらいハワイ語を覚えたからって、よそものはよそものだと心のなかで笑っていたのか。いや、そんなふうにひとを嘲笑する、しかも楽しそうにふつうに会話をしながら心のなかでひとを嘲笑するような人物には見えなかった。

私と同い年ならば、Keola が学校に通っていた頃に、ハワイ語復興の動きが始まっていたはずだが、この場所も Kailua もハワイアンが多い地域ではないから、学校でハワイ語を学ぶことはなかった可能性は高い。それでも puka は Pidgin にも入っているし、Pidgin がわからない私でも知っているくらい、ハワイでは日常会話の一部になっているから、この付箋の意味がわからなかったということはないだろう。たんに、それについてなにか言うほどの興味が湧かなかっただけかもしれない。私の家族構成や年齢に興味があっても、私のハワイ語学習には興味がなくったって、なんの不思議もない。

それでもなんだかちょっとがっかりした気持ちになったのは、私が Keola に、Eh, you study Hawaiian? とかなんとか言って褒めてもらいたかったのだと気づいた。

自分はただ突っ立って作業を眺めているだけだったのに、ひと休みしたい気持ちになって、リビングのソファにごろんと横になった。ちょっと蒸し暑いので、起き上がって、lanai に出るガラス戸を大きく開けた。外で芝刈り機だかリーフブロワーだかの音がする。ふだん日中は家にいないので、コロナで家ごもり生活が始まるまで気がつかなかったが、コンクリートのビルが建ち並ぶばかりのこのエリアでそんなにしょっちゅう刈ったり切ったりする植物があるのかと思うほど、毎日のようにこの作業が近所のどこかでなされている。とにかくやたらとうるさい。網戸を開けて lanai に出て、音のするほうを見てみたが、音源らしきものは見あたらなかった。顔を上げると、新しい高層ビルがいくつも建って、見える部分は前よりだいぶ縮小したものの、視界の向こうにかろうじて海がある。

ふたたびソファに寝っころがった。眠いというほど疲れているわけでもないが、仕事をしたり本を読んだりする気力も出ない。携帯を手にとった。Duolingo をやろうかと思ったが、かわりに Facebook を開いてしばらく時間を浪費した。

その後、シャワーにつけるガラスのドアが本土から船で届くのを待ち、バスルームが完成するまでにはさらに一か月かかった。その頃までには Kanaiwakūmamāiwa keneka no ka pepa hāleu、トイレットペーパーは九九セント、という例文が Duolingo にしょっちゅう出てきていた。Kanaiwakūmamāiwa って言えるようになったよ〜と、Keola に自慢したい気持ちになった。だからどうしたと言われればまったくもってそのとおりだが、Keola だったら、Oh yah? But you got a long way till ninety-nine, you bettah learn to say twenty-three! とでも言って、あの調子でワハハと笑うような気がした。

I could picture myself working in this department, I thought. It was the first evening of my two-day campus interview at a prestigious private university in the Midwest. I had had a tour of the campus and a series of meetings with various faculty members and the dean of the college during the day, all very pleasant except it was too damn cold for my Hawai'i-acclimated body.

This was the second time since I started working in Hawai'i that I had applied for a job elsewhere and gotten to the campus interview stage. I wasn't looking to leave Hawai'i—I was generally happy with my position and had built a life and community there—but I had also understood how the political economy of American academe works. If there was a position out there that you were a good candidate for, you apply even if you weren't 100 percent certain that you wanted the job, and if you get an offer, you can use it as leverage to negotiate for a raise at your home institution. So very neoliberal, but there you go.

The dinner at the darkly lit Italian restaurant was with four faculty members in the English department—that was where the position was housed—including the department chair. From all the conversations I had had with other faculty during the day and the interactions around the dinner table, I could tell that she was very much respected, trusted, and liked by her colleagues. Which is no small feat. It is a volatile time to be the chair of any English department in the US, with all the politics of every kind, and I had heard that she was the first woman to chair the department. Everyone had told me that she had done a great job mending fences and building a sense of collegiality.

The conversation at dinner was both relaxed and informative. The chair of the search committee, a gay man specializing in early modern British literature who had been at the university for ten years, told me about the resources available on campus for various projects. "Yeah, the university is pretty good about supporting projects that don't necessarily fall under research in a conventional sense. So, for instance, if you have an idea for some creative project that involves interdisciplinary collaboration and student learning, you can submit a proposal and get funding for it."

"What a novel idea!" I wasn't trying to be particularly funny, but this was my immediate reaction after having spent nearly a decade at a poorly funded public university. Two women to my left chuckled and nodded, acknowledging my sentiment. Both women were about my age and had come to this institution in the last few years after having been at other poorly funded public universities.

We talked about a host of other things, both work and non-work. Everyone was smart and fun, and seemed genuinely interested in me and what I would bring. I'd be good friends with these people if I were to come here, I felt.

As we were about to finish our dessert, the chair said to me, "Is there anything you'd like to ask? You and I will have a meeting tomorrow, so you can of course ask me anything then, but do you have any questions you'd like answers for right now?"

The conversations I'd had during the day had already answered my questions about teaching load, research support, tenure review process, interdepartmental relations, etc. But it's always good to have questions in these situations, you know, to show that you are actively interested in the position. I took a sip of my decaf coffee and said: "What kind of support does the university have for women of color faculty?"

The chair looked a little caught off guard and went silent for a few seconds. The others around the table—one white gay man and two white women—didn't say anything, either.

"Um," the chair said. "To be honest, I don't know the answer to that question. The university of course has EEO and Title IX offices. As a female faculty who has been at this university for a good amount of time, and especially now that I'm in this chair role, I can tell you that the department and the university have gone through some very challenging times around race and gender and culture wars, like every other institution. But I really do feel that we have built a culture of respect and collegiality in the department. And there is certainly a network of female faculty across campus and general support for junior faculty." I nodded as I listened. Before I said anything, she continued: "But that's not answering your question. I actually don't know if we have specific resources for women of color faculty. I'm sorry, I'd have to get back to you on that one."

She looked genuinely sorry and embarrassed, which made me feel bad for asking the question. I really hadn't meant the question to be a test. I was a little surprised myself that the question spontaneously popped out of my mouth, since this was not among the questions I had prepared on my mental list before I arrived at the interview. "Oh, it's okay. We don't have any resources specifically for women of color faculty at my university, so it's not like I expect such things. I was just . . . wondering." I really did not want to come across as an angry woman of color challenging the white supremacist institution. I was at a job interview, after all, and I really did like the people I'd met so far.

"Well, it's a good question, though, and I really should know these things," the chair said earnestly.

The two women gave me a ride back to the hotel after dinner. During the drive, we talked about the social scene—the dating scene, that is—around the city. There was a cozy rapport in the car, and I thought I'd like to be friends with these women even if I didn't get the job.

The next day, my meeting with the chair was just before the job talk. She welcomed me into her office with big windows. I thanked her for the lovely dinner the previous night.

"Yes, that was lovely indeed. I'm glad that we had a chance to chat outside the office." She exuded the combination of no-nonsense and warmth that I aspired to.

"Since you've already had almost two full days of meetings, you probably have had many of your questions answered, but I'm happy to talk about anything you want to know about the department. But before we get into that, I first wanted to get back to the question you asked last night. It's been weighing on me since." There was an urgency to her voice as she crossed her hands on her desk and leaned in a little.

Again, I felt bad. My question had been weighing on her overnight!

"Oh, please! I really didn't mean it to be a heavy question." I meant it.

"Oh, please don't apologize. It's a very fair question. To be honest, I was caught a little off guard by it. Then I realized that I don't know the answer to it because I've never had to think about it. And that is entirely my fault, my blindness. So I'd like to thank you for making me aware of the issue."

I didn't know quite what to say.

"Well, I don't know that there is an issue. So please don't apologize! Like I said yesterday, it's not as if my university has such resources, or that I know of other schools that do."

"Yes, but all schools should. Plus, it's my failure as chair that it didn't occur me to think about it until you raised the issue. So thank you for bringing it to my attention. And I'd like you to know that, should you join us as our colleague, I will do my best to provide you with all the support you need in and outside the department."

"Thank you. Hearing that from you means a lot to me." I didn't know what more to say, so I left it at that and moved on to other things, like confirming the timeline for tenure review and what not.

My job talk went well, and the dinner afterwards with another set of colleagues was equally pleasant as the last. It was a good visit overall. I didn't get the position, but that was fine. I had tenure at an institution where my research and teaching were a good fit and where I had good friends and colleagues. The salary and research support would surely have been much better at the other institution, but the weather compensated for the lack.

The conversation with the chair stuck in my mind because I was pretty certain that that was the first time I spontaneously used the phrase "women of color" in reference to myself and my needs. I'd used it countless times in my scholarship and teaching and everyday life, of course, but they were in reference to broader history and relations and movements, not about my own identity. I had resisted the interpellation as Asian American, so it's no wonder that I had never consciously identified as a woman of color. I don't know what made me utter the phrase during that dinner. There was nothing in particular that made me feel conscious of my status as a woman of color. Sure, everyone else at the table was white, but I hadn't expected otherwise, and I didn't sense a hint of racism from anyone I met during the two-day interview. In fact I had felt that I could fit in comfortably in that environment. And yet, the question, "What kind of support does the university have for women of color faculty?" flowed out of my mouth quite naturally that day. And that certainly wasn't the last time I used the phrase "woman of color" to identify myself.

お向かいへのご挨拶

これから一年間の住まいとなる家に荷物を運び込み、窓を開け放つと、むわっとした熱気が目に見えない波のようにゆっくりと押し寄せてくる。試しにスイッチを入れてみたところ、かなり年季の入ったエアコンはちゃんと作動するようだったが、まずはもう少し部屋の空気を入れ替えたほうがいいだろう。小さな庭と、すぐ横の通りの向こうにある遊歩道のあたりから、ジーンジーンという主張の強い蝉の鳴き声が聞こえる。

蝉の鳴き声を聞くのは何年ぶりだろうか。いつもはハワイの大学の年度が終わってすぐ、東京が梅雨に入る前の時期に日本にきて、数週間で戻ってしまうので、真夏に日本にいるのは、最初に留学に出発したとき以来かもしれない。とすると、なんと十八年ぶりか。注意して聴けばかなり圧迫感があるが、幾重にも重なってゆっくりと拍を刻むようにひたすら続く鳴き声を意識の後方に後退させれば、ミニマリストの現代音楽のようで、重い熱気も合わさって、眠くなりそうだった。

海外に長く住む日本人の友達と、「日本に帰ってきた」としみじみ実感するのはどんな瞬間かという話題で盛り上がったことがある。ゆっくりお風呂に浸かるときとか、時間どおりに届く宅急便を受け取るときとか、お店の店員さんがやたらと丁寧な仕草でお釣りを手渡してくれるときとか、みんなそれぞれ納得いく答えをしていたが、私がしばらく考えてから出した答えは、「大森駅のホームに立ったとき」だった。

物心つく頃から毎日のように使った大森駅は、ほかの駅が次々に新しくなっていくなかで、数十年たっても駅舎も周りの風景も不思議なほど変わっていなかった。中央口のほうはほかのJRの駅に違わずアトレができて綺麗になったにもかかわらず、私の家に近い北口のほうはなぜか取り残されて、昭和の空気が残っている。海岸側に大きなビルがいくつも建って企業のオフィスが入るようになると、一本しか路線が走っておらず、とくになにがあるわけでもないこの駅でなぜこんなにたくさんのひとが乗り降りするのかと思うほどひとは増えたものの、あたりの雰囲気はほとんど変わっていなかった。

品の良さそうなひとも悪そうなひとも、昔ながらのものもいま風のものも、高級新築マンションの広告も質屋の広告も、パチンコ屋も女性専用ジムもネットカフェも幼児英語教室も、すべて違和感なく混在していた。かつては多くの文豪が馬込近辺に住んでいた町なのだとか、「ジャーマン通り」と呼ばれる道路があるように、ドイツ人のコミュニティがあったのだとかいうことを自慢げに語る地元の人たちもいたが、いまはとくに文化的な空気は感じられない。そのことが私をむしろホッとさせた。「ド、ドミラ〜ド〜、レ、レファラ〜レ〜、ミ、ミソシ〜ソ〜ラ〜」という発車メロディが流れてくると条件反射的に、身体じゅうの毛穴が緩むようにリラックスして、「嗚呼、ここが私の場所だ」と心底思うようになった。

でも今回は大森の実家には寄らず、同じ東京都内とはいえまるで様相の違うこの場所に直接やってきた。ハワイ大学が協力校として提携している、東京郊外のこじんまりとした私立大学に留学してくる学生たちの引率教員というのが、これから一年間の仕事だった。授業を教えるほかにはふだんのような学務はなく、自分の研究なりなんなり好きに過ごしてよいと聞くと「バンザイ!」と叫びたくなるが、その代わり、大学が所有しているUR住宅に住み、近隣の家庭にホームステイする学生たちになにかあったら随時対応するという条件になっていた。この条件が良いのか悪いのかは学生の行動しだいなので、到着したばかりの時点では判断できなかったが、通常の給料をもらったうえで住宅費は払わなくてよいのだから、悪いとは言えないのかもしれない。

疲れと蒸し暑さで眠さに襲われるが、引っ越してきていきなり昼寝している場合でもなかろうと、いったん腰を下ろしたソファから立ちあがって、窓際のテレビをつけた。いかにも古そうなドラム缶のテレビだったが、映りは悪くない。

高校野球をやっていた。ずっと真夏には日本にいない、もちろん学期のまっ最中である三月にも日本にいない。ということは、高校野球を見るのも十八年ぶりだった。画面の隅に、省略された学校名とスコアが出ていたが、馴染みのない名前で、どの県の代表なのかもわからなかった。十八年もたてば、野球の強い学校も変わっているのだろう。

アナウンサーの落ち着いた声の後ろで、応援団の歌声や太鼓の音が聞こえたとたんに、懐かしさで涙が出そうになった。そして、白と黒の制服姿で行儀よく座った高校生たちが応援団員のリードに従って、片手に持ったプラスチックのメガホンをもうひとつの手でポンポン叩きながら馴染みの応援歌を歌い、拍子に合わせてメガホンを口に「かっとばせ〜、マ、キ、ノ!」と叫ぶ様子をカメラが映すと、「嗚呼、ほんとうに自分は日本に帰ってきたのだ」と実感した。

ひとまず荷物をほどき、前日にデパ地下で買った羊羹を持って、向かいの家に挨拶に行った。一軒家風の造りの住宅がタウンハウス状になった団地で、隣と合わせて二軒を大学が所有しているが、隣には誰も入っていないので気を遣う必要がない、ただしそのまわりには長く住んでいる人たちが多いようだと、大学の事務の人に聞いていた。

門の呼び鈴を鳴らすと、しばらくしてから七十くらいのおばあさんが玄関の扉を少しだけ開け、怪訝そうにこちらを見て言った。

「なんでしょうか」

「こんにちは。とつぜん申し訳ありません。先ほど向かいの家に入りました、吉原と言います。ちょっとご挨拶にうかがいました」

やや大きめの声で言って、頭を下げた。

「ああ、はあ」

おばあさんは、さらにほんの少しだけ扉を開けて、ちょこっと頭を下げたが、それ以上の会話を望んでいる気配はない。

「これから一年間ほど滞在します。お世話になりますが、どうぞよろしくお願いします」

あまり反応がない。

「あの、それから、私、ピアノを弾くんですが、数日後にピアノが運ばれてくることになっているんです。もちろん昼間にしか弾きませんし、ピアノを置くのは道路側なので、ご迷惑はかけないかと思いますが、もしもうるさいようでしたら、どうぞご遠慮なくおっしゃってください。どのくらい音が響いているか、自分ではわからないので」

「はあ」

扉はそれ以上開きそうもなかった。

「これ、つまらないものですが、ご挨拶がわりです。甘いものお好きかどうかわかりませんが」

手にしていた羊羹の包みを前に出して見せた。

「いえいえ、そんな」

おばあさんは、急にあたふたしたしだした。

「もしお召し上がりにならなければ、どなたかにでも差し上げていただければ結構ですので、どうぞ」

おばあさんはさらに慌てて、「すいません、ちょっと」と言って、奥に入った。「お父さん、ちょっと、向かいに引っ越していらしたかただって」と家の中に呼びかけている。

向かいに越してきた人間が菓子折りを持って挨拶に来るのは、そんなに大慌てするようなことなのだろうか。日本にはこういう慣習がなくなったのだろうか。もしかすると、変な押し売りかなにかと勘違いされているのだろうか。でも、向かいの住宅はすぐ近くの大学が所有しているということはわかっているはずだし、私の前任者もそこに住んでいたはずではないか。

しばらくして、おじいさんが出てきた。

「あ、お休みのところ申し訳ありません。向かいに越してきました。些細なものですが、お受け取りいただけたらと思いまして」

おばあさん同様、おじいさんもほとんどものを言わず、頭だけちょこっと下げて、私が珍しいものか不審なものかを見定めるような視線でこちらを見ながら、ゆっくり門まで近づいてくる。こういうときに、こちらから門を開けて近づいて行くべきなのか、いや、勝手に門を開けるのは失礼な行為だろうか。マンション育ちの、そして日本で社会人としての訓練を受けたことのない私は、門のある家をめぐる礼儀作法を知らないのだった。ゆっくりではあるが、身体が不自由なようにも見えないので、おじいさんがこちらに来るのを待ち、立ち止まってこちらを見上げたところで、腰の高さの門の上から羊羹の包みを差し出した。

「どうもすみません」

おじいさんは小さな声でそう言って頭を下げ、包みを受け取った。それ以上の会話にはなりそうもなかった。

「それじゃあ、またちょくちょくお目にかかると思いますが、どうぞよろしくお願いいたします。とつぜん失礼いたしました」

私はまた少し大きめの声で言って会釈をして、向かいの家に戻った。門は開かないままだった。


市役所が閉まるまでまだ間に合いそうだったので、住民票届と国民健康保険の手続きをすることにした。数日前から、耳の中で膿がじくじくして気持ちが悪かったのだ。とりあえず保険加入の手続きさえしておけば、数日中には近くの耳鼻科に行けるだろう。

バスで駅まで出て、そこからすぐの市役所は、かなり大きな古い建物だったが、手続きはじつにてきぱきとしていた。記入した用紙と必要な書類を窓口に出すと、「おかけになってお待ちください」と言われて席に着いたが、待つというほどの時間も経たないうちに名前を呼ばれ、住民票の写しと保険証を渡された。あまりの速さにむしろ呆気に取られた。そういえば、数年前に一時帰国した時にした運転免許の更新手続も、その素早さに驚嘆したが、あれこれ訊かれることもなく、しかも一銭もお金を払うことなく、健康保険に加入できて、その場で保険証をもらえるとは。感動で涙が出そうだった。部屋に帰ったら、Facebookに投稿してアメリカの友達に自慢しなければ。

保険証を財布に入れただけで妙に嬉しくなって、駅に向かって歩き始めると、道路沿いに耳鼻科の看板が見えた。ふと見まわしてみれば、数ブロックの範囲に内科も産婦人科も薬局もある。

耳鼻科の建物の入り口に行ってみると、診察時間終了まではまだ一時間ほどある。完全予約制とは書いていない。エレベーターでクリニックのある三階に上がり、ガラスの自動ドアを入ると、小綺麗なロビーにはけっこうな数の人がいた。

受付には、ピンクの制服姿の女性が座っている。

「あのう、初めてなんですが、今日これから診ていただくことはできますか」

「はい、大丈夫です。保険証をお持ちですか」

「はいっ」

私は出来立てホヤホヤの保険証を張り切って財布から取り出し、カウンターにある小さな皿の上に置いた。そして手渡された番号札を持って、薄いベージュの合皮のソファに座った。

待っていた人の数の割には、待ち時間はそれほどでもなかった。診察室に通されると、三十歳くらいの男の先生が、「お待たせいたしました。どうなさいましたか」と、やさしい口調で訊く。マスクをしているので顔はよくわからないが、なかなかハンサムそうな雰囲気である。いや、「ハンサム」などという単語は日本ではもう古臭いとされていて、こういうときにはたしか、「イケメン」というのではなかったか。

イケメン先生に症状を説明して診てもらうと、案の定、中耳炎だった。

耳の中を掃除してもらうと、世界が変わったかのようにスッキリした。数日分の抗生物質を処方してもらって、会計を済ませて外に出た。すぐ隣にある薬局に処方箋を持っていくと、これまたほんの十分ほどで薬が出てきた。

市役所に足を踏み入れて、それから薬局を出るまでに、合計一時間ほどしかたっていなかった。役所で手続きをして、その場で保険証がもらえて、その足で初めてのクリニックに行ってすぐに診察をしてもらえるなんて。そしてすぐに薬が出てくるなんて。アメリカで社会保険局だの自動車登録証や運転免許の手続きだのに行くときには、順番待ちと手続き合わせて半日は辛抱する覚悟で、しかも待っている間に目撃する人間模様の哀しさで、ぐったりと消耗する。場所によっては、郵便局ひとつに行くだけでも戦場に出かけるような気持ちになる。そうした暮らしに慣れていたので、天国に引っ越してきたのかと思うような気分だった。これもまちがいなくFacebook投稿ネタだ。

私鉄とJRの通っている大きな駅だけあって、周りにはルミネだのマルイだのビックカメラだのドンキホーテだの、そして小さな商店だの飲み屋だのが、ところせましと並んでいた。景観もなにもないこうした雑然とした空間が、私にはまだ新鮮だった。駅ビルの上階にある韓国料理屋に入ってビビンバを食べてから、バス停の長い列に並んで家路に着いた。

翌日は、高校野球の第一試合を見てから、数日ぶんの食料を買うため、団地を横断した先にあるスーパーに行くことにした。

十分ほど歩いて団地の向こう側に出ると、スーパーはすぐ見つかった。戸惑ったのは、団地の向こうに出る前の、あたりの様子だった。

夏休み中の平日の昼間なのだから、子供たちが遊び場で遊んでいたり、その周りでお母さんたちがたむろっていたりするのだろうと想像していたのに、あたりはひっそりと静まりかえっていた。遊び場には子供もおとなもいない。歩いている人もいない。家の庭に出ている人すら見えない。真夏とはいえ、外に出るのが躊躇《ためら》われるほどの気温にはまだなっていないのに、なぜこんなに人っこひとり見当たらず、静かなのだろう。私が寝ているあいだに戦争でも起こって、あたりの人たちはみんなどこかに避難してしまったのではないか。そんな突拍子もない考えさえ浮かんできた。

どうやら戦争は起こっていないらしいとホッとしたのは、スーパー近くの保育園の横を通ったときだった。庭でスモックを着た子供たちが遊んでいた。小さな子が叫んだり笑ったり、先生が子供に話しかけたりする声が聞こえる。先生たちは驚くほど若く見えた。

その後も、保育園の側を通ると、いつもホッとした気分になった。あるとき、ボールが保育園の柵を超えて、私の足元まで転がってきた。そして柵の向こうから、「すいませ〜ん、取ってくださ〜い」という、五歳くらいの男の子の声が聞こえた。

顔を上げて見ると、三人の男の子が、自分たちの顎くらいの高さの柵の格子を両手でつかんで、背伸びをしながらこちらを見ている。私がこのくらいの歳の頃はひどく人見知りで、通りかかった知らないおとなにこんな風に話しかけたりは絶対にしなかった。この子たちは、小さいときから保育園で社交性を鍛えられているからか、「すいませ〜ん、取ってくださ〜い」の声も、私を見る目も、とてもしっかりしていた。

「はあい、い〜い？　投げるよ〜」

ボールを拾って投げ返してやると、三人とも大きな声で「どうもありがとう〜」と言って柵を離れ、ボールを追っていった。

スーパーは、一九七〇年代にこの団地が建った頃にできていらい、ほぼそのままなのだろうことが、壁の上部に描かれた風景画の色合いから感じ取れた。品揃えはごくふつうだった。買い物かごもカートも、おもちゃのように小さいこと。野菜や果物がひとつひとつ綺麗なこと。お惣菜がなんとも品のいい分量でパックされていること。便利そうな日用品がこまこまと並んでいること。これまでの毎年の帰国の際も、スーパーに立ち寄るくらいのことはもちろんしていたが、このちょっとさびれた郊外のスーパーで見るもの手に取るものが、いちいち新鮮だった。

家にある調味料などをチェックしてくるのを忘れたので、なにを買い揃えるべきか判断がつかず、とりあえず最低限のものだけを買うことにした。昼は料理をするのも面倒くさいので、お惣菜コーナーに並んでいたいなり寿司のパックをかごに入れた。

父とイチロー

私が仕事で一年間日本にいるあいだに、父は亡くなった。

私はその夜、銀座の王子ホールで、東京クヮルテットが演奏するベートーヴェン弦楽四重奏を聴いていた。電車とタクシーを乗りついで、ようやく都心から遠く離れた大学宿舎に着いたときにはもう夜も遅く、二階の寝室ですぐに眠りについた。一階の勉強机で携帯を充電していたので、電話が鳴ったのには気づかず、父の死を知ったのは翌朝だった。

その数か月前まで、私は三年ほど父の姿を見ていなかった。その頃には、帰国時も実家ではなくホテルや大学の施設に滞在するようになり、そのあいだ、母とは外で食事をすることもあったが、父とは顔も合わせていなかった。自分は自分の人生を生きる。十代のときにそう決意していらい、親の問題には関与しないと決めていたのだ。自分が正気を保って生きるためには、そうするしかなかった。

私が日本に到着する数か月前に、父は介護ホームに入所した。自宅からは片道二時間半もかかる場所で、母はそう頻繁に通えるわけではなかったが、状況を考えると、むしろそのほうが良いくらいだった。やれやれ、父が死ぬまでともかくそこに置いておいてもらえるのだったら、そしてそれだけのお金が家にあるのだったら、ひとまず一件落着——と思っていたのだが、ことはそう都合よく終わってくれなかった。

以前に父が家で転んで骨折し手術をしたときの傷が、どうやらうまく治っていないらしく、ホームから病院にいったん戻ることになった。母からそう電話があったのは、日本での新学期が始まってまもない頃だった。病院は、満員の病棟になんとかスペースを作って、父を再入院させてくれた。手術の失敗なら病院を訴えられるのではないかと思ったが、そんな気力は母にはもちろんなかったし、父のためにそんな面倒なことをする意思は私にもなかった。よほどの事態でなければ、病院に様子を見に行くつもりもなかった。

傷の処置はなされたものの、ベッドで寝たきりの父は、身体も頭もどんどんと衰えている。もうあとどれだけ生きるかわからないから、意識のあるうちに一度は顔を見せておきなさい——と母に言われ、さすがにそれすら拒否する気にはならず、いや、正直に言えば、それを拒否するのに必要な気力を使うのが面倒で、授業のない秋のある日、電車を乗り継いで実家近くの病院に出かけた。

病院はせま苦しく、古びていて、薄暗い入院病棟に足を踏み入れただけで気が滅入った。こんなところに数日間もいたら、健康なひとでも病気になりそうだ。骨折したときに運ばれたのが、家から一番近いこの病院だったから、ここで手術と入院をすることになったらしいが、もしかすると、こんな病院にしか入れないほど、うちの家計は切迫しているのだろうか。そう思うと顔から血の気が引いた。

ごちゃごちゃと器具が置かれた狭い通路を、白衣の看護師さんが忙しそうに行き来する。前よりずいぶんと背が縮んだ母の数歩後ろを、私は黙ってついて歩いた。角を曲がって母が入っていった隅の部屋は、気分がさらに落ち込むほどせま苦しい、窓のない三人部屋だった。

「真里が来たわよ」

入り口から一番近くのベッドに向かって、母が声をかけた。

一瞬、こちらのほうが凍りついた。

ひとりで病室に来ていたら、目の前に横たわっているのが自分の父親であるとは気がつかなかっただろう。昔は全体的にむしろ大柄な体格にビール腹だったのだが、顔も身体も痩せこけ、目はくぼみ、年齢のわりには量のある白髪は、洗ってもらったばかりらしく清潔ではあったものの、生気なく枕に垂れていた。布団が小さな山をなしている。しばらく前から、右の膝が曲がったまま硬直して動かないらしい。

私がひとの遺体をはじめて見たのは、高校一年生の頃、叔父が亡くなったときだった。がんと診断されてから半年もせずに亡くなった叔父は、元プロレス界にいただけあって肩幅が広く胸板の厚い、立派な体格のひとだったが、亡くなったと知らせを受けて私たちが駆けつけると、布団に横たわっていた叔父は、私がおぼえているのと同じ人物とは思えないほど痩せこけていた。それから、祖母を含め、亡くなったひとの遺体を前にしたことは数回あったが、こんな状態で生きているひとを間近に見たのは、生まれてはじめてだった。もうあとどれだけ生きるかわからないというより、今すぐにでも死にそうな瀕死の人間のように、私の目には映った。

父は目を開けてこちらに顔を向けたが、なにも言わず、表情も変わらなかった。すでにかなり耄碌している上に、薬で頭がぼうっとしているので、なにをどれだけわかっているのかわからないのよと、母は前から言っていた。私が誰だかわかっているのかどうかも判然としない。

「真里が来てくれたわよ。今、日本にいるのよ。わかるの？」

半分苛立ったような声音で母が言うと、少ししてベッドから、ウー、という、声とも呼べないような音が小さく漏れた。

変わり果てた父の姿と病室の惨めさに呆然として、私は、ベッドの端にただ無言で立ちすくむだけだった。

申し訳ていどに仕切りのカーテンがあるので、同室の患者さんたちの様子は見えなかったが、ほかの見舞いの家族や知人の姿はなかった。

「あまりにも狭いでしょ。ここは古いし、まわりも建てこんでるから、増築するスペースもないのよね。でもそのうち、全面的に建て直すらしいわよ。入院の最中に建て直しなんてことになったらたいへんだったけど、いくらなんでもそれまでは持たないからね」

目の前に横になっている病人の前で、母は言った。これが父娘最後の対面かもしれないとなれば、もう少しほかに言うことがありそうなものだが、こういう現実的な話題で間をもたせるのが、いかにも母らしい。

「たしかに、こりゃあいくらなんでも狭いし、薄暗いわ。いまどきの東京で、こんな病院があるなんて」

病院の関係者がそばにいないのを確認してから、私は言った。そのくらいしか、言うことが思いつかなかった。

十分とたたないうちに、母のほうから言い出した。

「座る場所もないし、あんた忙しいんでしょ、じゃ、もう行こうか」

こんなに短い対面でいいのかと呆れると同時に、やれやれ助かったというのが正直な思いだった。なにも言わずにただ頷いて、父に向かってやや大きめの声で「じゃあね、バイバイ」とだけ言った。父は、聞こえるか聞こえないかくらいの音量で、また、ウー、という音を出した。

母と私は部屋を出た。十分とたっていないのだから、さっきと同じようにごちゃごちゃした通路を、さっきと同じように白衣の看護師さんたちが行き来しているのはとうぜんだった。私たちは、四人も乗ればぎゅうぎゅうになってしまうエレベーターを降りて、外に出た。

「あんなに痩せこけちゃあ、言われなきゃ、パパだってわかんなかったわ」

病院から駅までの数分間の道を歩きながら、さすがになにも言わないわけにもいかず、私は言った。

「そうでしょう、藤子おばちゃんも、来てくれたとき、そう言ってたわよ」

「あんな状態じゃあ、もうそんなには生きないでしょう」

「まあそうでしょうね。でも、いままで何回も、もう死ぬって状態で病院に運ばれたけど、点滴につながれたら、栄養が入って、みるみるうちに顔色が良くなって、髪がフサフサしてくるのよ」

ゾンビじゃあるまいし、そんなことを言われても、返事のしようがない。

「頭だって、もう全然ダメなんでしょ」

「そりゃあそうなんだけど、面白いのよ」

「なによ、面白いって」

こんなときに「面白い」という単語が母の口から出てくることのほうが異常ではないだろうか。

「頭がわりとはっきりしてる日と、全然ダメな日とあるの。いつも朝行ったら、『今日は何日?』って聞いてみるんだけどね、何月何日って、ちゃんと言えるときもあれば、なんにも返事が返ってこないときもあるのよ」

「うん」

「でもね、ときどき、やたら大きな声で、Tuesday! とかって言うときがあるのよ」

「Tuesday って、英語で?」

「そう」母は面白そうに笑って頷いた。

「へぇぇ〜」


戦後まもない頃、それぞれ埼玉と香川に住んでいた父と母は、旺文社が発行していた高校生向けの英語学習雑誌を購読していた。その雑誌の読書通信欄に母がペンパル募集の広告を出すと、全国から山ほど手紙が届き、そのうちの何人かとしばらく文通していた。そのひとりが父だった。

母の母は地主の娘で、その家に婿養子として入った私の祖父は、農学者として功績を残し、叙勲までしたひとだった。ゆえに、田舎とはいえ、母はそれなりに恵まれた育ちかたをした。いっぽうで父のほうは、父親が北海道で事業をすると言って出かけたまま姿をくらまし、四人の子供のいる一家は生活苦に陥った。父は高校の修学旅行にも行けず、奨学金をもらって入学した大学も、途中でいよいよお金が尽きて退学やむなしとなったところで友人たちがカンパをしてくれて、なんとか卒業できたという。

その父が、アルバイト代をせっせと貯めて母を四国まで訪ねてきたり、母が京都の大学に入ってからは、休みになると伊丹の実家まで遊びにきたりして、やがて結婚に至った。

――そんな話は、本人たちや親戚から断片的に聞いていた。

はじめのうちは英語で文通していた、と聞いたときは仰天したが、あとから考えてみると、その時代の、あるていど教育のある青年たちの英語熱のありさまを想像させる逸話であった。いったん自分が英語を駆使するようになってしまえば、よくこんな滅茶苦茶な英語で仕事が務まるなあと親を馬鹿にしたり、外で親が英語を話す場に居あわせると恥ずかしくて逃げ出したくなったりしたが、カリフォルニアでまわりにいたほかの日本人のおじさんたちとくらべると、父の英語はややまともだったし、二度もアメリカ駐在をしたので、英語はやはり、脳のそれなりの部分を占めていたのだろうか。

「このあいだはねぇ、イチローがすごいヒット打ったわよって、朝刊を見せてあげたんだけどね」

商店街を横切りながら、母は続けた。

イチローが九年連続二百安打を出し、メジャーリーグの記録を百年以上ぶりに塗りかえ

たところだった。母はとくに野球が好きではなかったが、なにやら凄いことらしいという
のは察知して、そのニュースが大きく一面を飾る新聞を父に見せるため、わざわざ病院に
持って行ったらしい。

「パパ、その新聞をチラッと見て、『羨ましい』って言ったのよ」

「ウラヤマシイ？？？」

思わず裏がえったような声が出た。

「そう。ただひと言、羨ましいって言ってた」

「羨ましいって、どういうことよ？」

仰天するような呆気にとられるような、形容のしがたい思いに打ちのめされた。

「どういうことって、知らないけど、そう言ってた」

母が相手だと、さっぱり会話が進展しない。

「だって、羨ましいって、変な反応じゃん。ふつう、スゴいとかって言うもんじゃない？

なんでパパがイチローを羨ましがるわけ？」

いったいどんな思考回路を経て、「ウラヤマシイ」という言葉が父の口から出たのだろ
うか。どんな分野であれ、イチローを目標にできるくらいのレベルで活躍しているひとが

「羨ましい」というなら、理解できないこともない。しかし、普通のサラリーマンで、日本が不況に入った頃に、まだ五十代で会社を辞めてからは次の仕事につけずに終わり、膝が曲がったまま寝たきりで、ろくに口をきくこともできず、薄暗くせま苦しい病院のベッドに横たわる老人が、世界的スターの功績について「羨ましい」と口にするとは。

それから何日間も、いや父が亡くなってから何年間も、私はことあるごとに父の「ウラヤマシイ」について考えた。

どう考えても、いい人生とは言えなかった。その原因のほとんどは本人にあった。少なくとも私にはそう思えた。とくべつ健康的でなくとも、ごく普通の生活をしていれば、この年齢でこのような状態で、薄暗い病室に横たわっていることはないはずだった。とくべつ人徳者でなくとも、ごく普通の家庭をいとなんでいれば、何年かぶりに顔を見に来たひとり娘が、口もきかずに十分足らずで病室を出るということもないはずだった。

もう少し口がきけた頃には、親切な看護師さんだろうが、見舞いに来てくれる叔母だろうが、人の顔を見れば「バカヤロウ」と言い放っていた。――そう母から聞いたときには、嗚呼、自分はこのひとの遺伝子を持っているのか、自分もいずれそんな人間になるのだろうかと、まず自分のことを考えて絶望し、「バカヤロウ」の意味を考える余裕がなかった。でも、父が「バカヤロウ」を吐きちらすなかで「ウラヤマシイ」を口にしたと聞くと、私の意識は遺伝子よりも父の来し方に向かった。

「バカヤロウ」は、「こんなはずではなかった」という、人生への憤懣《ふんまん》を吐き出す言葉だったのだろうか。自分もほんとうはイチローのように、いやさすがにイチローのようにとまではいかなくても、少なくともまわりに認められるような仕事をし、功績をあげて尊敬を集めるはずだったのに、誰も見舞いにすら来ないこの病室で人生の終わりを迎えている。その運命に抗議して、相手かまわず「バカヤロウ」を放っていたのだろうか。

日本の技術と製品を売り込むため、世界のあちこちを出張してまわっていた自分、ニューヨークやカリフォルニアの支社を率いてアメリカ市場にシェアを切り拓いていた自分を、思い出していたのだろうか。あの頃は、日本の高度経済成長の一端を担う企業マンとしての、使命感や誇りがあったのだろうか。そうした過去の自分の影を、ぼうっとした頭のなかで、イチローのニュースに重ねていたのだろうか。

＊

父が息を引きとったのは、イチローのことを「ウラヤマシイ」と言ってから、薄暗い病室でさらに数か月を過ごしてからのことだった。

その年も、イチローは記録をさらに伸ばした。野球に疎い私には、その記録の意味は理解できなかった。それでも、同年代の一日本人として、素直な感動と一種の感慨をおぼえた。そしてそのあとも、イチローのニュースを読むたびに、私は心のなかで「どうもありがとうございました」とお礼を言った。私がついぞ愛情や尊敬を抱くことのなかった父親の、あの哀しい病室での人生の終わりに、一瞬でも「世界」をもたらしてくれたことに。

続 私小説

街を歩く人の服装も、樹の枝に見えるようになった緑も、春の到来を告げていたものの、常夏のハワイに慣れた私の身体には、まだまだ空気が冷たく感じられた。

皇居周りをなんどか走って、どのあたりに登り坂があるかを把握した頃には、細身の身体をバッチリ決まったランニングウェアに包んだ男女が颯爽と走っていくなかで、ひとり部屋着のような格好でいるのにも慣れてしまった。前年の日本滞在に続いて、大学のサバティカルでふたたび半年日本に滞在することになり、縁あって、ふだんの私の生活水準ではとても手の届かない都心のマンションを間借りしていた。せっかく内堀通りから徒歩数分のところにいるのだからと、世のひとがすなる皇居ランを始めたのだった。

比較的ランナーの少ない昼下がりを選んで、マンションを出た。

数週間前、ジョギングを終えてマンションに行く小道を歩いているときに、角の小さなブティックのウィンドウで目にしたジャクソン・ポロックの絵のような模様の七分袖のジャケットがすっかり気に入って、急いで家に帰り、シャワーを浴びてから出直し、試着もそこそこに買った。あんなにお洒落なジャケットを売っていたのだから、ほかにもいいものがあるかしらんと、ふたたびチラリと覗いてみたが、同じウィンドウに並んでいるのは、とてもじゃないが私はこんなものは着ないというような、有閑マダム風のドレスだった。

この店になぜ、あんなファンキーなジャケットが一点だけあったのだろう。もしかすると、あれをファンキーだと思う私の感覚のほうがずれていて、じつはあれは有閑マダムジャケットなのだろうか。そんなことを考えながら、交差点で道を渡ろうと信号を待っていたときだった。

止まっている大きなトラックが、左右に揺れている。ギアで遊んでいるのだろうか。こんな交通量の多い道路でそんなに揺らしたら、危なくないのかしらん。

すると、自分の足の下の地面が揺れた。

「あ、地震やわ、地震！」

同じく信号待ちをしていた、関西出身らしき中年女性ふたりが、手を取りあって狼狽している。

信号機もかなり大きく揺れている。でも、千鳥ヶ淵交差点、向かいは皇居という場所では、なかでテレビがついているような商店や民家が近くにあるわけではない。すぐには状況がわからなかった。

ずいぶんと大きく、そして長く続いたような気がする。それでもしばらくすると、揺れはやはり止まった。

ひさしぶりに体験した地震だった。それでも、日本で育ったのだからちょっとした地震には驚かないし、とくべつ恐怖も抱かなかった。信号が変わると、予定どおり道路を渡り、南に向かってジョギングを始めた。

桜田門を過ぎ、二重橋の前を通って大手町に差しかかったあたりから、たくさんの人がヘルメットをかぶって道路に出ているのが目に入るようになった。そうか、こうした高層ビルにはたくさんの作業員がいて、地震などがあるとこうしていったん避難するのか、などと妙に感心しながら視線をヘルメットから下におろすと、それをかぶっているのは作業員ではなく、ワイシャツ姿のサラリーマンや、小綺麗な服装をしたＯＬさんたちだった。

高層ビルで仕事をしている人たちが、非常用のヘルメットをかぶって、安全が確認できるまで屋外に避難しているのだと、間抜けな時間差で理解した。そうか、日本の職場では、こういう事態に備えてヘルメットが常備されているのか。

地下鉄の入り口の前には、困ったなあという顔をした人たちが大勢たむろしているところをみると、地下鉄も止まったらしい。どうやらちょっとした地震ではなさそうだ。それでももう、ルートの半分まで来ていた。来た道を戻るのも先に進むのも、距離は同じだ。どうせ同じ距離なら、歩くより走ったほうが早く家に着く。そう思ってジョギングを続けた。

マンションに戻ると、入り口の自動ドアは動いていたが、エレベーターには停止中の貼り紙があった。せっせと階段を昇って七階の部屋に戻ってみると、棚から本が落ちて床に散乱している。新しいマンションだけあって、キッチンの棚にはすべてストッパーがついており、食器類はすべて無事だった。ほかにもこれといった被害は見あたらなかったが、リビングに行ってみると、アップライトピアノが五十センチほど壁から離れていた。

その夕方にも、夜にも、その翌日も翌々日も、余震が続いた。

揺れの間隔が長くなるのに比例して、どうやらなにかとんでもないことが起こったらしい、そしていまも起こり続けているらしいという認識が強まっていった。そして、福島の原発事故の様子が徐々にあきらかになるにつれ、顔から血の気が引き、頭のなかが白くなった。それまで興味をもったこともなかった原子炉の構造を少しは理解しようと新聞を広げたが、なんど読んでもなかなか頭に入らない。ヘリコプターで上空から水を撒くというニュースがあると、テレビの画面に喰いつくようにしてその様子を見たが、見てはいけないものを見てしまったという気がして、声も出なかった。

一週間ほどのうちに、スーパーの棚の多くが、がらんと空になった。

ちょうど、水村美苗の『日本語が亡びるとき』の英訳の仕事をひととおり終えたところだった。日本語だけではなく、日本そのものが亡びてしまうのではないかと、本気で恐怖を抱いた。「国」とはなにか、「日本人」とはなにか、「帰属」とはなにか。学問の世界でそうしたことを長年考えているあいだに、日本を単純に「自分の国」などとは呼べなくなってからすでに長かった。その自分が、地面が揺れたあの日を境に、頭のなかでごくあたりまえに、my country とか my people などという表現を使うようになっていた。

「私の国」、「我が民族」は、どうなってしまうのか。

そのときの日本にいた人間のうち、私はまちがいなく、もっとも恵まれた人間のひとりだった。東北の被災地には、家族も親しいひともいない。独り身ゆえ、配偶者や子供の安全を心配することもない。助成金をもらってひとりで好きな研究をしていればよく、通勤がなかったので、交通機関の不順運行にも影響を受けなかった。皇居や官庁の近くに住んでいるおかげで、各地で実施された計画停電すら経験せずに済んだ。ほんとうに申し訳ないくらい、恵まれた立場だった。

直接の被災地でも、それ以外の全国各地でも、多くの人たちが多くのものを失くし、たいへんな思いをして暮らしているなかで、私のような人間がいまこそ腕まくりをして社会に貢献すべきなのは、まちがいなかった。それなのに、なにをすればいいのかわからなかった。せめて通勤する職場があって、こなすべき課題が与えられていれば、経済活動にささやかに貢献できるのにと、自分の恵まれた立場をむしろ恨んだりした。自分がオロオロしてもまったくなんの役にも立たないとわかっていながら、文字通りオロオロして、テレビ画面と新聞とインターネットに見入る以外、なにもできない日々が続いた。

夜に、変な夢をみるようになった。

母とふたりで観覧車に乗っている。私たちの乗っているゴンドラが本体から外れ、大きく宙に飛ばされる。窓を開けて空中ブランコのように身を投げ、なんとか本体の鉄柱に飛びつくことしか、生き延びる術はない。二本の足を地につけた状態でも極端に運動神経が悪い私が、そんな状況で生き残れるわけはない。私は死ぬのだ。「幸せな楽しい、いい人生だったよ。産んでくれてありがとう」そう母に言って、窓から飛び降りようとした瞬間、目が覚めた。涙で顔がべっとりとしていた。

足元の地面が揺れてからの日々、固唾《かたず》をのんで被災地や原発の様子を追っていたのは、日本全国の人々だけではなかった。

まさに世界じゅうの目が、日本に向いていた。

New York Times の一面が、日本のニュースで埋めつくされた。CNNでもPBSでもBBCでも、私が目にする英語媒体のすべてが、くる日もくる日も、日本の話題でいっぱいだった。

私が「殿」と一緒に留学に旅立った頃は、日本という国は金持ちだったし、少しは自慢できることもあった。しかしその後、アメリカ生活が長くなればなるほど、世界における日本の存在感が確実に縮小しているのを、痛いほど感じるようになっていた。

いまや世界において、少なくともアメリカにおいて、アジアといえばまず中国のことで、政治経済においても、アニメファンをのぞけば文化においても、日本は世界の人々の眼中にない。日本の専門家をのぞけば、私の周りのひとたちは、日本で政権交代があったことすらよく知らないし、その事実を知っていても、意味は理解していなかった。聞かれても満足のいく説明はできないので、聞かれないのがむしろありがたかった。

それだけに、こうして世界じゅうの人が日本に注目している事態は、妙に新鮮に感じられた。

Ortega Elementary でむっつり黙って不機嫌に過ごしていた日々から、三十年がたっていた。そのあと、こんどは自分の意志で、アメリカに拠点を置くようになってからは、二十年がたっていた。

自分の頭のなかにも交友関係にも、日本語の世界と英語の世界が並存していた。

禁欲的な大学院生活を送っていた頃は、国際電話がまだ高くついたこともあって、自分を日本とつなげていたのは、手紙のやりとりだった。楽しいこともたくさんあったけれどやはり辛かった大学院生活の中で、渦巻く思いをせっせとしたためた手紙、同じように真剣にそれに応えてくれた友達からの手紙は、自分と日本をつなぐ糸だった。それでも、大学の年度が終わって日本に帰るたびに、アメリカで自分が送っていた時間と、日本であたりまえに流れている時間との隔たりに愕然とした。いやむしろ、私が留守にしているあいだも、私の留守などまったく気にせず日本では時間が流れていたという、あたりまえの事実に愕然とした。

やがて世紀のページがめくられた。アメリカはテロ攻撃に遭い、あらたな戦争に突入した。学問の世界では「グローバリゼーション」という単語が大流行したかと思うと、じきに「トランスナショナリズム」に座を譲った。

その頃から私は、英語で研究書や論文を書き、講義や学生の指導をすることを本業としながら、日本語でも執筆活動をするようになった。日本の友達が私の文章を読んで、私の仕事や生活を垣間みることもできるようになったし、ときには見も知らぬ日本の読者から手紙やメールが届くこともあった。アメリカより普及が遅れていたメールでのやりとりが日本でもふつうになり、ブログやSNSが広まった。

私のなかの日本とアメリカの距離が、かなり縮まった——ような気がすることが増えた。アメリカに身を置き、アメリカ人や、ほかの国から来たひとたちと毎日を過ごし、英語を話し、聞き、読み書きして暮らしながら、日本の「現実」や「日常」を、同時進行で感じ取る度合いが高くなった。アメリカで人生や現実を生きながら、日本にも自分の人生や現実がある。そう感じられるようになっていた。

それでもじっさいのところは、「アメリカの自分」と「日本の自分」の重複部分は、かぎりなく小さかった。

自分が日本やアジアを専門にしていれば交友関係も違ったかもしれないが、私のアメリカの友達の多くは、日本についての知識がとくにない。左右の腕を広げれば道の両側の家に届きそうな細い路地に囲まれたマンションの四畳半の部屋でピアノを弾いて育ち、本を読みながら一時間以上電車やバスを乗り継いで中学高校に通い、せっせと試験勉強をしてご立派な大学に入ったかと思うと、ご立派な大学の学生とはまるで思えないような馬鹿遊びばかりして大学生活を送った、そんな私の生い立ちに意味づけをするような社会や文化のマップが、私のアメリカの友達の頭の引き出しにはない。

そしてまた、私の日本の友達も、私がアメリカで生きている時間や空間や人間関係について、なんら現実感をもって理解しているとも思えなかった。理解する以前に、そもそも興味があるとも、興味をもつだけの情報や知識があるとも思えなかった。

「日本の私」と「アメリカの私」というふたつの人生を同時に生きながら、一見近いように見えるそのふたつの輪は、ほぼ重なることがない。私は長いあいだ、その状態をほぼ自明のこととして受け入れていた。

それが、である。大地や海を大きく揺さぶった東日本大震災によって、ふたつの輪は音を立てるような勢いで急接近し、重なった。

ふだんはとくに日本に興味を示すわけではないアメリカの友達も、だれもかれもが日本についての情報をFacebookに投稿していた。日本の外にいる、日本人でない友達が、日本で起こっていることを、毎日リアルタイムで追っている。そんな状況を経験したのは、生まれてはじめてだった。

なんとも不思議な感覚だった。海のこちら側にいる私、いや、海のこちら側にある「私の国」や「私の国の人々」について、そんなに気を揉んでくれて、どうもありがとうございます——頭を下げて、そうお礼を言いたい気持ちになった。

それと同時に、原発事故の影響が深刻化するにつれ、その世界の視線のありかたに、なんだか居心地の悪さを感じるようにもなった。

私の安全を心配して、「早くこっちに戻っておいで」とたくさんの友達が言ってくれた。ホノルルのマンションは半年間ひとに貸してあるので当面は帰る家がないのを知っている友達は、「うちのゲストルームで暮らせばいい」と本気で言ってくれた。

そして、いろいろな人たちが、Fukushima Daiichi の状況や影響、今後の予測などについての関連記事を、あれやこれやとSNSに投稿したり、メールで送ってくれたりした。日本の政府はほんとうのことを発表していない、事実は日本の人々が知らされているよりずっと深刻だ、といった筋のものが大半だった。

それがおおむね当たっているだろうということは、私にもわかっていた。

なにしろ、「日本の自分」と「アメリカの自分」、「日本語の私」と「英語の私」を同時に生きているのだ。とうぜん英語のニュース媒体を日常的に目にしている。重大な事件があればなおのこと、New York Times をいつもよりじっくり読むし、ほかのニュースも見たり読んだりする。私の Facebook 友達が読んでいるような記事は、私だって読んでいるに決まっているではないか。私はふだんアメリカで、つまり「彼らの土俵」で、「彼らの言葉」である英語で、みんなとやりとりをしているではないか。それなのに、「日本にいるきみたちにはわからないだろうけど、きみたちのすぐそばで、とんでもないことが起こっているんだよ」と、まるで無知な子供に大事な知識を授けるような口調で言われているような気がして、せっかく親切と善意を寄せてくれている相手に対し、わけもわからず腹さえ立った。

そして、じわりじわりとわかってきた。日本で起こっているニュースを日本語を読んでいる人々と、英語で同じことを追っている人々が、そこに見る「現実」には、津波をもたらした広く深い海ほどの隔たりがあるということを。「ここの人たち」と「あちらの人たち」は、同じ画像や映像を見ながら、まったく違う世界を経験していることを。このときほど、それを鮮明に感じたことはなかった。

世界の目が日本に向いていることに妙な興奮を感じていた矢先のことだっただけに、その認識は自分のなかに、言いようのない寂しさをもたらした。

オバマ大統領がカダフィ政権に最後通牒を突きつけ、NATO軍がリビアに攻撃を開始すると、それまで日本に集まっていた世界の目は、あっというまにそちらへと流れていった。日本の状況についての報道もしばらくは続いたが、New York Times 一面トップの座から、日本は呆気なく失墜した。私の Facebook 友達の投稿からも、それまでの十日間のことがまるで夢だったかのように、日本の話題が消えていった。

あたりまえといえばそれまでのことだったが、なんだか悲しい気持ちになった。私と「私の国」と「私の人々」を取り残して、世界は次の目的地に向かってさっさと旅立っていってしまった。そんな気持ちになった。

しばらくは積極的に身体を動かす気持ちにもならなかったが、私がじっとマンションで鬱々としていてもなんの役にも立つまいと、ある日ふたたび、部屋着のような運動着に着替えて、内堀通りへと歩いていった。

こんどは、同じ交差点で信号待ちをしているときにも、地面は揺れなかった。歩いて道を渡り、ゆっくり走り始めた。いつもよりは人が少なかったが、それでもタッタッタッタッという軽い足音で走っていくランナーたちがいた。

細身の男性が、「頑張ろうニッポン」とマジックで書いた白い襷《たすき》をして走っていた。「ポ」の字のマルは赤く塗られ、そのまわりを四角で囲ってあった。ふだんはそんなナショナリスティックなかけ声にはげんなりするが、通り過ぎるひとと目を合わせるでもなく、もちろん笑顔を交わすでもなく、ただひとりでさっさと走っていくだけの、若者から中年に差しかかる年頃のこの男性が、こうして静かに自分とまわりをふるい立たせているのを見て、不覚にも涙が出そうになった。

ふと前を見ると、沿道の樹には、桜の蕾が、わずかに開きはじめていた。

マンションを出てからここに来るまでに、何本も桜の樹を通り過ぎていたはずなのに、いままで気づかなかったのが不思議だが、いったん気づいてみれば、そこもかしこも小さな花の命でいっぱいだった。こんな天変地異があっても、長い冬のあとにはやはり春が来る。それだけの事実が、奇跡に感じられた。

繁華街やデパートの煌々とした照明が弱められ、公園の立て看板に「自粛」という単語を見るのがあたりまえになり、気分転換に友達と居酒屋で集まるのもはばかられるような空気が続いた。それでもニッポンは少しずつ、日常を取り戻していった。

調査対象としようと思っていたイベントは軒並み中止となり、計画していた研究は保留せざるをえなかったが、いずれにせよ、ものごとをじっくり調べたり考えたりするような気分ではなかった。日本での残りの数か月間は、なにをするでもなく、ただ「日本にいる」ことだけが、私のプロジェクトとなった。

「日本にいる」ことにいったいなんの意味があるのかはわからなかったが、なぜか私はそれにこだわった。私と同じようにサバティカルを東京で過ごしていたのに、さっさと滞在を切り上げてアメリカに戻った研究者仲間もいた。妻子を九州の実家に避難させて、自宅で単身赴任のような暮らしをしているという友達もいた。そんな話を聞くと、どうしてもここにいなければいけないわけでもないのに、自分がこうしてここでじっとしているのが正しいのかどうかと、不安にならないではなかった。

それでも、ここに自分がいることが誰の役にも立たないのがあまりにも明白なぶん、ここにいることに無理やり意味を見出そうと、私は半ばすがりつくように、日本という場所に「いる」ことに固執した。震災後の日本を生きるひとたちと一緒に、その日本を経験することで、日本と自分の関係、日本人としての自分を証明しようしたのかもしれない。

それでもやはり、サバティカルは終わりを告げ、ハワイに戻るときがやってきた。

東京からホノルル直行の片道航空券が手に入らなかったこともあり、ハワイを飛びこしていったんヴァンクーヴァーに行き、アマチュアピアノコンクールで知り合っていい感じになっていた男性と数日間遊んでから、ホノルルに戻ることにした。

「殿」と一緒に大学院留学に旅立ったのは、ちょうど二十年前のこの季節だった。あのときから、自分の年齢は倍ほどになり、人生のうち日本で過ごした時間とアメリカで過ごした時間が、ちょうど半分ずつくらいになっていた。仕事や生活になにか大きな変化がないかぎり、これから先は、日本よりもアメリカで過ごした時間のほうが多くなる。なんだか納得のいかない気持ちもしたが、そのなんとなく納得のいかない時期に入る前に、ハワイもアメリカ合衆国も飛び越して、ヴァンクーヴァーで寄り道をし、日系カナダ人の男性と遊ぶというのは、いいクッションのような気もした。

マンションの管理人さんにタクシーを呼んでもらった。

腰の低い運転手さんに、大きなスーツケースをトランクに入れてもらい、清潔感いっぱいの白いカバーがかかった座席に座ると、あとにする東京の風景に感慨を感じるまもないほどの時間で、箱崎エアターミナルに着いた。そして係員のテキパキとした指示にしたがって、馴染み深いオレンジ色の模様のリムジンバスに乗り込んだ。大学院時代、夏休みに「殿」とふたりで一時帰国したとき、成田空港でリムジンバスにスーツケースを荷台に積み込む制服姿のお兄さんたちを見ながら「殿」が横でぼそっと、「うーん、さすが日本の労働者は、こんな単調な作業でもやたらと士気が高いなあ」と言うのを聞いて、「たしかに」と笑ったのを思い出した。

シャボン玉が弾けてから、ゆっくりと緩やかな坂を下りていた日本は、うしろから全力で蹴飛ばされるようにして深い谷に転落し、そこからいま一歩一歩、這い上がろうとしている。どこに向かって這い上がろうとしているのかを考える余裕や理性はなかった。とにかく目の前のことをやろう。みんな、そんな気持ちで一生懸命だった。少なくともそう私には感じられた。リムジンバス乗り場では、いまも十数年前と同じように、制服姿のお兄さんたちが、素早くていねいにスーツケースを並べたり積みこんだりしていた。

バスがターミナルをあとにしてまもなく、空の色はだんだんと深くなった。

首都高速のガードレールの上から見えるビルに、色とりどりの光が灯っていく。都心を離れる頃には、窓からはなにも見えなくなった。成田空港では、いつものようにレストランに入ってビールを飲み、うな丼を食べ、小物屋であれこれ要らないものを買い、本屋で平積みにされている新書をペラペラとめくったが、なにも買わなかった。

呆気ないほどスムーズな旅立ちだった。

In any case, really? There is an astonishing number of books about English language learning that flood the Japanese market—many bookstores have entire sections dedicated to that genre—and yet few people would read book-length text in English? Even if the approximate story was to be printed just on the other side of the page?

This was a profoundly depressing realization, not only because I couldn't publish the book I wanted to but because it felt like I was denied one major —at least half!—mode of my existence.

One editor suggested that I try to publish the English version in the United States first, and then I could have the Japanese version published afterward, like I had done with a couple of my academic books. But I most adamantly did not want to do that. Because if I were to publish this in English in the United States, it would be read as Asian American literature. And as you dear readers of fine print know by now, that is not what this book is! But I realized then that that very point would be lost on most Japanese readers (and editors).

I thus reconceived the whole piece. And here it is, my I-novel in Japanese, 『続私小説 from top to bottom』, if you will.

It is thanks to my magical encounter with the editor who gets the story I'm trying to tell and knows how to make it happen—and the editor is a man! Imagine that!—that you are holding this book in your hands and reading this English in fine print on chapter breaks. It is a different book from what I had originally set out to write, but in many ways, this is in fact more appropriate for the story I wanted to tell. Because, you know, the story I wanted to tell is that I do not tell the same story in two languages. As much as I wish that my two lives in two languages were equal halves that could be displayed neatly side by side, that would be much too contrived to represent the truth of my being. I have a whole other set of stories to tell if I were writing in English, and perhaps someday I will have a chance to tell them. But for now, dear reader, this is my story.

Like the yellow wallpaper that stains everything it touches and traps women behind its grotesque pattern, English can take up too much of the global discourse and our individual psyche. We could give it a timeout every once in a while and reduce it to visual effect on a chapter break of a book.

P.S. If you have complaints about this English gibberish, you could try writing to the publisher and see if they send you some free books to read in Japanese. But don't tell them I told you to.

What I Write About When I Write in English

When I started working on this book several years ago, my original conceit was to write what I had called in my mind 『続私小説 on left and right』. Yes, I thought of the book as a humble homage to my idol Minae Mizumura. While I'm all too aware, believe me, that I lack the literary talent and insight to write the sequel to her novel in the way she audaciously did with Sōseki, I thought I could write my version of an I-novel, set on the other side of the American continent from where Mizumura had landed a little less than two decades before me. Whereas Mizumura's masterpiece was touted as Japan's first-ever bilingual novel—printed horizontally with some English mixed into the mostly Japanese text—I thought I would take "bilingual" more literally and write the whole thing in two languages and have them printed side by side. The two versions would largely follow the same plot but would not exactly be translations of each other. The point was to show, to those who read both languages anyway, that I see and hear and feel and experience the world differently depending on which language I'm operating in, and that the choice of language shapes what I write about and how. I thought it would be novel, literally.

So I wrote. Some sections I first wrote in Japanese and then wrote the English version, some the other way around. I wrote a few scenes in English only and thought I'd work on the Japanese later. I found some stories easier to tell in one language than the other, whereas for some scenes the two versions turned out to be more or less the same, save for, you know, the language. It was a fun process, like going down memory lane on two different modes of transportation and finding different views from the windows.

About halfway into the writing, I began talking to some Japanese editors, to see whether the book I had fantasized would be actually feasible as a commercial publication. The responses I got were, well, interesting. While everyone thought the idea was indeed novel, many told me plainly that it was not realistic to publish a book in the way I had conceived it. There was the practical matter, for one thing: having two versions would make the book twice as thick, so to keep the price reasonable, I would have to cut down the material considerably. I could and would have done that if needed, but there was the more basic reality: most Japanese readers would not read the English portion of the book. And few people would buy a book knowing that they wouldn't read half of it. It's one thing to include the English version for a very select segment of the book—10 percent at most—but a side-by-side printing of the two languages for the entire book was out of the question, I was told by most people I consulted, all veteran editors at prestigious publishers. And by the way, the editors' responses were curiously gendered: all the editors who quickly rejected the idea of the bilingual aspect of the book were men, and the few editors who expressed interest—those who told me that the novelty of the work lay precisely in its bilingual conception and execution and that it would be a shame to give up on it—were all women. What this means, I'm not entirely sure.

［著者について］**吉原真里**（よしはら・まり）

1968年ニューヨーク生まれ。
東京大学教養学部卒、米国ブラウン大学博士号取得。ハワイ大学アメリカ研究学部教授。専門はアメリカ文化史、アメリカ=アジア関係史、ジェンダー研究など。著書に『アメリカの大学院で成功する方法』『ドット・コム・ラヴァーズ――ネットで出会うアメリカの女と男』（以上中公新書）、『性愛英語の基礎知識』（新潮新書）、『親愛なるレニー――レナード・バーンスタインと戦後日本の物語』『ヴァン・クライバーン国際ピアノ・コンクール――市民が育む芸術イヴェント』『「アジア人」はいかにしてクラシック音楽家になったのか？――人種・ジェンダー・文化資本』（以上アルテスパブリッシング）、共編著に『現代アメリカのキーワード』（中公新書）、共著に『私たちが声を上げるとき――アメリカを変えた10の問い』（集英社新書）、そのほか英文著書多数。

不機嫌《ふきげん》な英語《えいご》たち

2023年9月30日　初版

著者　吉原真里

発行者　株式会社晶文社
〒101-0051
東京都千代田区神田神保町1-11
電話　03-3518-4940（代表）・4942（編集）
URL https://www.shobunsha.co.jp

印刷・製本　中央精版印刷株式会社

ISBN978-4-7949-7381-8 Printed in Japan